Éditions Druide
1435, rue Saint-Alexandre, bureau 1040
Montréal (Québec) H3A 2G4

www.editionsdruide.com

RELIEFS

Collection dirigée par
Anne-Marie Villeneuve

TREIZE À TABLE

Catalogage avant publication de Bibliothèque et Archives nationales
du Québec et Bibliothèque et Archives Canada

Vedette principale au titre :
Treize à table : nouvelles.
(Reliefs)

ISBN 978-2-89711-411-4
1. Nouvelles québécoises – 21ᵉ siècle. 2. Nourriture dans la littérature. 3. Repas
dans la littérature. 4. Gastronomie dans la littérature. I. Collection : Reliefs
PS8323.F66T73 2018   C843'.01083564   C2017-942232-4
PS9323.F66T73 2018

Direction littéraire : Anne-Marie Villeneuve
Édition : Luc Roberge et Anne-Marie Villeneuve
Assistance à l'édition : Elisanne Crevier
Révision linguistique : Lyne Roy, Isabelle Chartrand-Delorme et Line Nadeau
Assistance à la révision linguistique : Antidote 9
Maquette intérieure : Anne Tremblay
Mise en pages et versions numériques : Studio C1C4
Conception graphique de la couverture : Anne Tremblay
Photographie en couverture : Stepan Bormotov (Shutterstock)
Vérification des recettes : Hélène Babin et Cloé Lavoie
Diffusion : Druide informatique
Relations de presse : Rugicomm

Les Éditions Druide remercient le Conseil des arts du Canada
et la SODEC de leur soutien.

Gouvernement du Québec — Programme de crédit d'impôt
pour l'édition de livres — Gestion SODEC.

Ce projet a été rendu possible en partie grâce au gouvernement du Canada.

Canadä

ISBN PAPIER : 978-2-89711-411-4
ISBN EPUB : 978-2-89711-412-1
ISBN PDF : 978-2-89711-413-8

Éditions Druide inc.
1435, rue Saint-Alexandre, bureau 1040
Montréal (Québec) H3A 2G4
Téléphone : 514-484-4998

Dépôt légal : 1ᵉʳ trimestre 2018
Bibliothèque et Archives nationales du Québec
Bibliothèque et Archives Canada

© 2018 Éditions Druide inc.
www.editionsdruide.com

Imprimé au Canada

TREIZE À TABLE

Nouvelles

Druide

TABLE DES MATIÈRES

AVANT-PROPOS

Nous étions au Royal, en train de siroter un cocktail de liqueur de framboise, chartreuse et bulles espagnoles, et nous regrettions que nos amis ne soient pas avec nous pour célébrer la vie, la gourmandise, la passion et notre amour de ces mots sensuels qui savent dirent tout ceci. Dès lors, nous avons rêvé à une grande table qui réunirait les goûts et les talents de chaque convive. Le chiffre 13 ne nous effraie pas, car ce repas est destiné à être partagé avec vous. Nous vous conseillons de prévoir un délicieux nectar et quelques bouchées à savourer avant de déguster ces nouvelles.

Que la fête commence !

Chrystine et Geneviève

Cocktail « *Bruno le chartreux*[*] »

5 feuilles de basilic frais (en réserver une pour la présentation)
7 ml (¼ oz) de chartreuse verte
20 ml (¾ oz) de liqueur de framboise (suggestion : L'Essence de framboise Sivó)
Glaçons
120 ml (4 oz) de Cava Parés Baltà
Framboises (facultatif)

Déposer les 3 premiers ingrédients dans un *shaker* et remplir de glaçons. Secouer vigoureusement pendant 10 secondes.

Passer au tamis et verser dans une flûte à champagne préalablement refroidie, puis ajouter le Cava.

Garnir d'une feuille de basilic ou de framboises.

---

[*] Merci à Manuel, créateur de cocktails au Royal, de nous avoir fourni cette recette.

MICHEL MARC BOUCHARD

Des confitures pour Pina Bausch

Compote de chicoutés de la Romaine. Beurre de bleuets du lac Winnipeg. Confit d'amélanchiers du Yukon. Confiture d'airelles sauvages de Jasper. Marmelade et rhubarbe de l'île d'Orléans. Givre de physalis ou d'amour en cage de la baie Georgienne. Miel de fleurs de poirier de la vallée de l'Okanagan. Gelée de pêches blanches de la vallée du Niagara. Une cartographie sucrée du territoire canadien.

La table est remplie d'une trentaine de pots aux étiquettes colorées rivalisant d'audace pour paraître plus ancestrales les unes que les autres.

Les pains, les céréales, les fruits séchés prétendent eux aussi à toutes les sous-régions, les diversités, les origines, voire toutes les ethnies du pays. Il y a là devant nous de quoi nourrir un continent et nous ne serons que trois pour le déjeuner.

Mon hôte est charmante et moi, fébrile. Dans ma tête, des phrases toutes faites se bousculent et se répètent à l'infini. J'anticipe une conversation riche et inoubliable. Une conversation que j'ai déjà improvisée plus de mille fois depuis l'invitation. J'ai mémorisé tous les titres des œuvres, les dates et les lieux de création de celle qui tarde à nous rejoindre.

— On sent bien le zeste dans cette marmelade, n'est-ce pas ?

— J'ai toujours trouvé que le sucre ajouté était le pire ennemi des fruits. Mais dire d'une confiture qu'elle ne devrait pas comporter de sucre, c'est un peu extraire d'une amitié, les raisons de cette amitié.

Je venais de passer la nuit dans la chambre de la reine. Dans le lit de la reine. Eh oui, j'ai dormi dans le lit qu'Élisabeth II occupe lors de ses visites au Canada. «J'ai dormi dans le lit de la reine!» Pas banal comme phrase, mais plutôt ordinaire comme expérience. Le lit trône au milieu d'une pièce sombre et grise, aux tentures sombres et grises, au mobilier sombre et gris. L'ensemble est d'un bleu sombre et gris tirant vers un vert foncé sombre et gris. Une ancienne salle à manger ovale transformée en chambre royale. Une chambre que d'autres hôtes de la maison ont eu aussi la permission d'utiliser. Un lit où presque tous les membres de la famille royale ont dormi. À mon réveil, je n'ai ressenti aucun changement, aucune transformation. Je n'étais pas investi de quelconque pouvoir et mon sang n'avait pas tourné au bleu. Je me sentais aussi proche d'Élisabeth II que le fut Lady Di.

— C'est du frimas de raisin de Mission Hill en Colombie-Britannique, précise mon hôte.

Rideau Hall est d'une architecture alambiquée de pièces ajoutées, raboutées sans vision, mais étonnamment, ce rapiéçage lui confère son charme. Se perdre la nuit dans la salle de la tente, dans le long salon ou dans la serre, chercher les toilettes en étant encadré par les tableaux du Groupe des Sept, de Lawren Harris, d'Emily Carr ou de Jean-Paul Lemieux est une expérience délectable.

— Oui, le frimas me rappelle le goût du vin de glace.

Elle se fait de plus en plus attendre et je risque l'indigestion à force de goûter les compotes qui contrairement aux vins ne se crachent pas lors de leur dégustation.

— Ça, c'est une confiture rare de framboises arctiques du Nunavut. C'est savoureux. Le nirvana, n'est-ce pas, Michel Marc?

Soudain, une odeur de cigarette fait disparaître les arômes de fruit et de baies. Une toux creuse et profonde, amplifiée par les nombreux corridors, brise le charmant du silence ambiant. Une quinte provenant des abîmes annonce l'entrée de Pina Bausch dans la salle à manger.

Pina Bausch, la célèbre chorégraphe allemande, celle qui a inventé la danse-théâtre, explorant les émotions humaines et les thèmes existentiels de la vie. Pina Bausch qui a créé de puissantes fresques pleines d'humanité et empreintes d'une imagerie poétique. Pina Bausch, à la gestuelle unique, à la créativité infatigable. Pina Bausch, auteure d'une cinquantaine d'œuvres chorégraphiques à la beauté sublime, à la puissance brute. Pina Bausch dont le *Café Müller* a été pour moi une leçon sur l'art aussi essentielle que l'ont été les écrits de Rilke, de Brecht, de Tchékhov. Pina Bausch dépose son corps sur une chaise. Pina Bausch s'est assise à côté de moi!

— C'est un honneur, madame.

Son corps est plus décharné que les cadavres squelettiques des catacombes des Capucins de Palerme. Sa respiration est souffrante. Son haleine rappelle les effluves d'un incendie après l'arrosage. Elle confond oxygène et nicotine. Son regard est livide. Pina Bausch est fatiguée d'être Pina Bausch. Elle ne sait pas qu'elle va mourir dans cinq ans. Pour l'instant, on pourrait parier qu'elle va mourir là, maintenant.

Nous sommes à Ottawa, en octobre 2004, à la veille de la représentation au Centre National des arts de sa pièce *Masurca Fogo*, inspirée d'un séjour de création au Portugal. Nous sommes dans la salle à manger de la verrière de Rideau Hall. Je suis assis entre la gouverneure générale du Canada, Adrienne Clarkson, et la chorégraphe qui demande la permission de fumer. Adrienne semble interdite, mais comme si elle avait anticipé cette demande depuis des jours, comme si elle avait passé la nuit à réfléchir à sa réponse, telle une autorisation suprême, un privilège exceptionnel, elle hoche royalement la tête. Pina allume sa cigarette à table. Évènement historique dans ce lieu historique.

Pina fume et fume encore.

Je crois maîtriser un tant soit peu l'art de la conversation. Je suis auteur dramatique donc je prétends avoir une certaine habilité et expérience du dialogue, voire de la conversation. Mais à l'amorce de ce déjeuner, mes phrases tombent l'une après l'autre dans le précipice que creuse Pina par son silence. Mes phrases chutent si profondément que j'aimerais me jeter tout entier avec elles et disparaître. Mon corps, tout près de Pina, est aussi inexistant que le regard qu'elle me porte. Il faut bien être aux côtés de la plus grande chorégraphe du monde, aux flans de celle qui a moulé les corps comme pas une pour se sentir aussi dématérialisé.

Me voici atteint à nouveau du syndrome de la soupe aux poireaux. Syndrome qui est apparu au tout début de ma carrière.

Alors que je travaillais avec le metteur en scène André Brassard, il y eut une fête au restaurant La Charade, endroit animé d'après-spectacles où les gens de théâtre de Montréal se rencontraient. Le sort voulut que je fusse assis face au dramaturge Michel Tremblay, l'une de mes plus grandes idoles. J'avais demandé une soupe aux poireaux. J'étais si impressionné, si nerveux, si tétanisé par la présence de l'écrivain que je n'arrivais pas à faire un geste aussi simple que de tremper, ne serait-ce qu'une seule fois, ma cuillère dans la soupe aux poireaux. Je n'ai pas réussi à prononcer une seule phrase de toute la soirée et ma soupe est demeurée intacte. Tremblay a dû se dire que Brassard travaillait avec un jeune auteur autiste. Le syndrome de la soupe aux poireaux est réapparu à quelques occasions entre autres lors de ce tête-à-trois avec Leonard Cohen et Gilles Vigneault. Mon déjeuner demeura à nouveau intact pour la postérité.

— Un peu de cette confiture de chicoutés de la Romaine ?

Je viens de dire cela à Pina Bausch. « Un peu de cette confiture de chicoutés de la Romaine ? »

En réponse, j'ai droit au sifflement d'un poumon qui se dégonfle malgré lui.

Et je poursuis.

— Saviez-vous que La Romaine, malgré son nom d'origine italienne, est une région au nord-est du Québec ?

Je me souhaite une allergie soudaine. Une réaction violente à une baie du Yukon ou à une airelle de Jasper. Une intolérance alimentaire qui me ferait m'écrouler de table.

Et je m'entête. Je m'entête à poursuivre cette conversation à sens unique. Tel le veilleur de nuit gravissant le Mur de Westeros, je m'acharne. Aux limites du délire, je m'évertue à décrire les relents d'if et de lichen du Grand Nord dans ce givre de sureau de Fort Nelson. J'ose évoquer le chinook des Rocheuses et le squamish de la côte Ouest. J'ose mentionner l'apport des vents sur la succulence des fruits.

Mais, tais-toi! Tais-toi!

Et je poursuis ma chute abyssale. Soudainement, tel un ange qui apparaît à la seconde juste avant l'écrasement, à l'instant où mon corps va devenir à son tour confiture, elle pose son regard sur moi.

— *Sugar! Everything tastes sugar!*

Mais pourquoi parler de saveurs à quelqu'un qui n'a certainement plus le sens du goût? Comment discuter avec quelqu'un qui veut être ailleurs et surtout ne pas être là?

Et toute cette merveilleuse conversation que je m'étais imaginée, fabriquée, répétée. Je lui parlerais de son rapport à la matière, à l'eau et à la terre. Sa façon génialissime de les utiliser avec joie et extase. Elle allait me dire d'où lui était venue l'idée de l'hippopotame dans sa chorégraphie *Arien*, celle de l'arbre décharné et abattu dans *Orphée et Eurydice*, celle des fleurs, oui, les fleurs par milliers dans *Nelken*. On allait rire. Oui! Rire très fort. Et j'allais lui demander si elle songeait à s'inspirer d'une ville du Canada ou du Québec comme elle l'avait fait avec d'autres villes autour du monde. Elle allait me prendre les mains. Elle allait prononcer mon nom. (Au début, elle a prononcé Marc-André. Ensuite Pierre-Marc. J'ai l'habitude.)

Mais je suis là à l'entretenir de compotes comme si je tenais un étal à la foire agricole.

Adrienne l'informe que je suis auteur dramatique et que quelques-unes de mes pièces ont été produites en Allemagne.

— *I cannot stay long. I have to join my dancers. We have to work.*

Pina fixe Adrienne et lui montre sa cigarette dont la cendre est à un cheveu de s'écrouler. À son tour, Adrienne fixe son aide de camp qui fixe le majordome, qui fixe un serveur, qui fixe un autre serveur. Trouver un cendrier à Rideau Hall est devenu aussi difficile que de trouver un Québécois qui refuse une distinction fédérale.

Trop tard, manque de planification, faille dans la chaîne de commandement, le long fil de cendres s'écrase au milieu d'une feuille d'érable au creux d'une soucoupe en porcelaine.

Et voilà que je profite de ce moment surréel.

— Travaillez-vous sur un nouveau spectacle ?

— Non, nous travaillons encore sur celui que nous allons présenter ce soir. C'est un travail constant. On ne doit jamais oublier le travail, qui est aussi du plaisir. Chaque œuvre doit être revisitée dans l'intimité avec les danseurs. Même si chaque représentation est différente, le travail en vase clos apporte des questions, des réponses, des trouvailles, des choix en constante mutation.

— Dommage que cette approche du travail ne se fasse pas au théâtre. Du moins pas ici. Nous ne retournons pas en salle de répétitions après le début des représentations.

— *It's a shame.*

Elle n'a pas toussé une seule fois pendant ce court échange. Ses yeux étaient perçants. Ceux d'une jeune fille. Elle a même posé sa main sur mon bras.

— J'aime celle-ci.

— C'est de la gelée de pêches blanches de la vallée du Niagara, confirme Adrienne.

— Ils ont su garder le parfum. C'est ça, le parfum. Je dois y aller.

Et elle quitte la pièce.

— C'est vrai qu'elle est bien cette gelée de pêches blanches.

Le soir même, la pièce *Masurca Fogo*, influencée par un séjour au Portugal de sa compagnie de danse Tanztheater de Wuppertal, enflamma le public du CNA. La pièce apparaissait comme une série de cartes postales lancinantes avec une bande-son qui ne l'était pas moins. Une suite de vidéo-clips avec en apothéose des projections de fleurs géantes. *Masurca Fogo,* comparativement à ses autres œuvres, était une pièce légère, souriante et harmonieuse, où l'histoire tragique du monde ne semblait pas avoir de prise. C'était un hymne à la fête.

Lors de la réception qui se tint à la fin du spectacle, Pina, au milieu de ses danseurs, son oxygène pur, était vivante, radieuse, gracieuse. De loin, elle fixa mon regard et me sourit.

J'avais demandé à ce qu'on dépose dans sa loge, un pot de gelée de pêches blanches.

À l'occasion du visionnement du documentaire *Pina* de Wim Wenders en 2011, ses danseurs les plus dévoués et les plus talentueux témoignèrent du fait qu'elle avait mis un an avant de leur adresser la parole. Je me comptai alors privilégié d'avoir eu à n'attendre que quinze minutes.

MICHÈLE PLOMER

Moucheuse

Bufton a envoyé Rolland nous quérir à la gare de Mont-Joli avec le beau hongre gris. Du haut de son siège, le guide de pêche préféré de mon père nous aperçoit dès que nous posons le pied sur le quai. À l'aide de deux doigts posés dans l'espace laissé par ses dents perdues, il siffle un portier qui l'aide à hisser nos malles sur le plateau arrière de la carriole. Seul le vieux Rolland manipule l'équipement de pêche. Caissettes de mouches, boîtes de moulinets et tubes en cuir rigide protégeant les cannes. L'un d'eux arbore une plaque de laiton sur laquelle *Clarice Perley* est fraîchement gravé. Mère, que Dieu ait son âme, m'a dévoilé que certains adultes ne savent pas lire. J'ignore si Rolland a lu mon nom, mais il a remarqué le tube supplémentaire. Il me sourit, et des plis s'ajoutent aux pattes d'oie qui ornent déjà le coin de ses yeux bleus.

À onze ans, je ne suis guère plus robuste qu'une canne à mouche, mais je porte maintenant des jupes longues dans lesquelles j'essaie de ne pas m'empêtrer en me hissant sur le banc. À mon anniversaire, Père a déclaré de sa voix chroniquement colérique qu'il était temps que *la Petite passe aux choses sérieuses*, que s'en était terminé de la *pêchette au bouchon au bout du quai*.

— Heureux de vous retrouver Rolland, dit mon père au guide. J'espère que vous et les vôtres avez passé un bon hiver.

— On y a tous survécu, Monsieur. C'est le principal.

— En effet, répond Père pour qui *survivre à l'hiver* renvoie à ses préoccupations marchandes, à l'hivernage du grain qu'il négocie aux quatre coins du monde.

— J'ai apporté de la limonade à la demande de monsieur Bufton, enchaîne le guide.

Je fixe le bout de mes souliers pour ne pas rire. Impossible pour Rolland de dire Bufton sans mettre *monsieur* devant. Les employés de notre maison, La Torrent, prennent notre major-dome anglais pour le maître des lieux.

— Laissez-moi tranquille avec votre limonade. On prendra le thé à seize heures trente comme des adultes! répond mon père qui met les buveurs de limonade et les pêcheurs au bouchon dans le même panier.

Au lieu de suivre le chemin bordant le fleuve, Rolland emprunte le 2ᵉ Rang, cette route de l'arrière-pays parallèle au Saint-Laurent. Nous traversons au petit trot des terres labourées. Les effluves du sol retourné se mêlent à celles des premières fleurs des champs. L'air goûte le miel de trèfle, il goûte fécond. Ce paysage est moins spectaculaire que celui de la côte, mais mon père s'en moque. Ce ne sont pas les horizons de carte postale ni les mondanités balnéaires qui l'attirent ici tous les ans. Il vient se mesurer à la Mitis et à ses saumons. Le tablier du pont du 2ᵉ Rang offre le meilleur point de vue pour évaluer le débit de la rivière.

Plus nous en approchons, plus le son des flots explose dans nos oreilles. On dirait que la Mitis se jette dans notre tête. Elle déferle, enflée par un hiver de neige abondante. Rolland n'a pas besoin de tirer sur les rênes, le hongre craintif passe de lui-même du trot au pas. L'année de la mort de maman, le cheval s'était cabré et avait mouliné son épouvante sur ce pont. L'une de ses jambes s'était fracturée en frappant le parapet. On l'avait abattu sur place. Depuis, nos hommes surveillent le ciel au printemps et sortent les animaux de l'écurie à la première pluie, *à la pluie de mai*, qu'ils croient bénie et protectrice. Rolland souffle des mots doux au cheval pour le rassurer et l'inciter à passer sur les planches de bois usées tandis que mon père, debout dans la voiture, toise celle qui lui crie d'en bas. Moi, je me ferme les yeux. Je crains les hauteurs. Et je crains les saumons de la rivière. Mais jamais je ne l'avouerai à Père.

: :

Tous les ans à notre retour, La Torrent me semble d'une tranquillité sacrée. On aurait dit que pendant ces mois où nous nous étourdissions à Montréal, elle retournait à une vie contemplative. Bufton a beau ouvrir à tout vent et faire laver les rideaux avec du savon rêche, son parfum de camp de pêche renfermé, de bois cuit par le soleil continue de flotter. Je ne suis pas pressée qu'elle retrouve son odeur habitée. Je me délecte de cette ambiance de maison sauvageonne. Sur le semainier de ma chambre, Bufton a placé un bouquet de trilles rouges cueillis dans le sous-bois. Ils empestent le ver de terre et seront fanés avant la fin du jour, mais c'est l'intention qui compte. Il essaie de compenser la rudesse de mon initiation à la vraie pêche avec cette petite douceur. Je balance mon chapeau de feutre sur le lit et ouvre mon journal intime à la page d'aujourd'hui. Depuis le départ de maman, je lui confie mes rêves et lui partage la stupéfiante beauté du monde.

10 juin 1910 – 16 h
Chère maman,
   Me voilà enfin à La Torrent! Je t'écris à la sauvette avant de descendre pour le thé. Crois-le ou non, la nuit dernière j'ai encore rêvé à mon poisson. Je ne sais pas si c'est ma faim ou ma peur qui l'appelle. Quand je dors, ses écailles aux reflets iridescents dansent derrière mes paupières et mon cœur bat au rythme de ses formidables coups de queue.

Père me rejoint sur la véranda et s'installe avec le plus de dignité possible dans une chaise en latte de bois trop basse pour lui.

— Chapeau de paille, ma chérie ?

— J'ai proscrit le feutre jusqu'au mois de septembre.

La porte-moustiquaire se ferme silencieusement derrière Bufton qui dépose le nécessaire de thé sur la table basse. Un plateau aux airs printaniers avec sa porcelaine ourlée de muguets peints. Un petit édifice de sandwichs au radis, de morceaux de gingembre confit et de scones chauds trône au centre d'une cour de tasses et de bols de crème épaisse et de confiture de rhubarbe. Tout ça, destiné à Père. Pour moi, Cook a préparé une triste assiette de sandwichs au hareng, celui que les guides achètent sur les quais et mettent à fumer.

— Clarice, êtes-vous certaine que…

J'interromps Bufton pour lui épargner de prononcer des mots qui remettent en question l'autorité paternelle.

— C'est bon. Et merci pour les adorables trilles dans ma chambre.

— Et ce soir ?

— Hareng. Aucun changement au menu tant que je n'aurai pas pris mon premier saumon. Ça ne saura tarder. Père m'a offert un magnifique jeu de mouches. Je suis armée pour la victoire.

— Voilà une déclaration digne d'un Perley, murmure Père en dépliant une serviette sur ses genoux.

Bufton lui jette un regard presque mauvais en versant le thé fumant. Il a promis à ma mère sur son lit de mort de veiller sur moi jusqu'à ma majorité. Les rites patriarcaux font parfois obstacle à une saine réalisation de cette promesse.

— Je me soumets volontairement aux coutumes familiales… aussi barbares soient-elles, dis-je en faisant un clin d'œil au majordome.

Bufton tend une tasse à mon père.

— Pour la sortie de pêche demain, Monsieur ? Cook aimerait savoir combien de sacs de victuailles et de gourdes elle doit préparer.

— Vous savez qu'un père ne peut rien apprendre à sa fille! Voilà pourquoi Rolland et Aimé sortiront avec la Petite dans le canot vert. Je monterai dans le canot d'écorce avec le père Flanagan qui a donné congé de messe matinale à ses grenouilles de bénitier. À vous de faire le compte pour les gourdes et le reste!

Mon père répète à qui veut l'entendre que les Perley naissent avec la pêche dans le sang, que nos cellules portent en elles la mémoire des rivières d'Écosse. À moi le fardeau de prouver que cela vaut autant pour les filles de la famille que pour ses garçons. Soulagée que je ne me retrouve pas soumise à la critique paternelle dans le canot demain, je bloque le passage de l'air dans mes narines et porte un bout de sandwich de hareng à mes lèvres. J'en prends une bouchée de souris que je mâche et remâche. J'ai beau me répéter que ce poisson est une créature de Dieu, que je n'ai ni le droit de le gaspiller ni d'en éprouver du dédain, je n'arrive pas à l'avaler tant mon cœur cogne mon dégoût. Pendant que je m'affaire dans ma bulle de masticage, mon oreille capte des bribes de l'échange entre les deux hommes. J'entends le mot *moucheuse* qui m'horripile. Pour une raison que je peine à définir et que Cook appelle *notre instinct féminin*, je le trouve licencieux.

— Père, j'abhorre ce mot et vous prierais de ne pas l'utiliser en faisant référence à moi.

La tasse de mon père s'immobilise à mi-parcours entre la soucoupe et sa bouche.

Il éclate de rire.

— Ma chérie, j'ai choisi ce terme parce que tu t'opposes à l'usage de *fisherman*.

— Ma première prise fera de moi une *fisher*, mais certainement pas une *man*.

— Tu ne nous obligeras quand même pas à t'appeler une *fisherwoman*!

— Bien sûr que non. Ce serait ridicule puisque j'ai onze ans. Lorsque j'aurai pêché mon premier saumon, je serai une *fishergirl*.

Père lève les yeux au ciel.

— Bufton, je vous prie, dites-moi ce que j'ai fait au Seigneur pour qu'il m'ait pris mon épouse en me laissant seul avec cette fille…

11 juin 1910 – 5 h
Chère maman,
J'ai faim.

La nuit dernière, j'ai rêvé que Cook préparait le poisson pour mon plat préféré: «Le filet de saumon à la crème et à l'oseille». Assise sur un tabouret, je la regardais travailler dans la cuisine baignée de lumière. Sur la planche à découper, elle a déposé un géant qui devait peser 30 lb. Elle l'a flatté dans le sens de la peau comme pour l'apaiser même dans la mort. Puis, elle s'est signée, a placé la lame du couteau près de son ouïe et a fait une entaille. Elle l'a retourné et a répété ce geste, sectionnant cette fois la tête qu'elle a réservée pour un fumet. Ensuite, d'une main elle a soulevé la chair ventrale, et de l'autre, a fait glisser sans effort la lame le long de la colonne jusqu'à la queue. Je l'ai aidée à lever ce premier filet que nous avons déposé à quatre mains sur le comptoir, peau vers le bas, exposant la chair rose vif du reproducteur, une chair ardente. «Doux Jésus, que tu es beau. Je te mangerais cru!», s'est exclamée Cook, ce qui nous a fait pouffer de rire.

J'espère que ce rêve annonce ma première prise, car le hareng me donne la nausée. Péniblement, j'en ai mâchouillé une bouchée pendant le thé d'hier, puis une autre au souper. Je serai incapable d'avaler une miette de cette horreur fumée ce matin. Père dit que l'été de ses huit ans, il a mangé du hareng pendant trois jours, alors que son frère Reggie a mis trois semaines avant de prendre son premier saumon. C'est peut-être pour cela qu'oncle Reggie vit maintenant à New York et passe ses étés à Cape Cod.

J'ai faim, je te l'ai déjà dit, mais à toi, j'ai le droit de me répéter et de me plaindre. J'ai faim! J'ai faim! J'ai faim! J'ai faim! J'ai faim!

Voilà, je me sens mieux. Maintenant je peux descendre.

À Noël, Père m'a offert un jeu de mouches. De véritables joyaux créés par un certain Roger Dufresne, un orfèvre de l'appât, dont les hommes dans le canot parlent à mi-voix comme lorsque l'on évoque un trésor national vivant. La mouche que nos guides affectionnent en cette période de l'année se nomme la *Red Deer*. Elle est confectionnée avec du poil de chevreuil et des bouts de queue d'écureuil roux montés sur un hameçon argenté. La *Belle Manon* ressemble à la *Red Deer*, sauf qu'elle a un hameçon doré et quelques barbes de plume de coq de Sonnerat que les poissons repèrent mieux par temps couvert. Le soleil nous accompagne ce matin, alors Rolland prend délicatement la *Red Deer* entre son pouce et son index. Il la lève vers le ciel comme pour la lui offrir, puis la tourne sous tous ses angles avant de la sacrifier à ma balourdise de débutante. Mon père a accepté que le vieux guide prépare ma canne, *si on ne veut pas y passer la journée*. Assis sur le banc central, Rolland exécute les nœuds avec des doigts de dentellière tout en me chuchotant le détail de chacune des étapes. Les termes mêmes de la pêche m'ensorcellent. Le fil de pêche ne s'appelle pas *fil*, mais *soie*. Les quelques pouces de ligne métallique entre la soie et le leurre se nomment *avançon*, joli mot qui fait écho à Avalon dans mon esprit de petite fille avide d'épopées. Lorsque Rolland a fixé la mouche, il vérifie la fluidité de la soie. *Écoute le chant de la canne fouettant l'air: elle fait* scion, scion. L'extrémité de la canne c'est le *scion*. Le vocabulaire de la pêche, je le connaîtrai d'abord en français du pays. C'est plus qu'une langue, c'est un certain savoir du monde.

Dans sa bouche, la pêche prend des allures de conte chevaleresque.

— Le saumon est le roi de la rivière, et toi, tu en es la princesse. Lorsqu'il arrive dans nos eaux, le saumon a perdu l'appétit. Il se repose, il attend sa belle. Alors, il faut l'achaler avec la mouche, la lui rendre tellement vivante et irrésistible qu'il ne pourra s'empêcher de la gober.

Le vieux guide m'indique de me mettre debout en équilibre dans le canot, jambes en triangle sous mes jupes. Il couvre mes mains des siennes sur le pommeau en bois de rose, et me montre à quel angle tenir la canne – légèrement en biais avec ma tête, car *une princesse borgne, c'est pas joli.* Lui et Aimé à l'aviron se moquent de moi, mais pas trop. Je pèse à peine le double d'une belle prise, mais un jour, je serai leur patronne – tous dans ce canot le savent déjà.

Ma canne s'empêtre dans son tracé, la soie s'entortille, la mouche fait éclater l'eau comme une brique. Pourtant, *derrière-devant, derrière-devant,* ce n'est pas si compliqué.

— Moucher, c'est pas tirer des roches dans l'eau, me répète Rolland, on doit aller porter l'appât. Moucher, c'est bien faire. Si c'est pas bien fait, on mange de la patate en hiver.

Aimé signifie son accord en ajoutant un énigmatique, *À la mouche, y a pas de pardon.*

Rolland me fait pratiquer jusqu'à ce que je perde toute sensation dans mon épaule droite, jusqu'à ce que je ne puisse plus, sans trembler, tenir la canne, qui pèse pourtant une plume. Ce n'est que lorsque je me suis vidée de mon assurance d'enfant privilégiée, de mon impatience de fille, que Rolland, avec son habit trois-pièces élimé, sa pipe en bois et ses dents qui manquent, prend ma canne et dit, *assoyez-vous, mamzelle Clarice, et regardez.*

Il fait virevolter la ligne qui scintille au soleil. Tel un elfe cosmique, la mouche se déplace à une vitesse impossible. Je n'ai jamais vu un mouvement à la fois aussi rapide et gracieux. Arcs et volutes se déploient derrière le canot, puis devant, traçant des lettres dans l'air, des paroles pour aguicher un monstre. À chaque lancer, Rolland fait voler le faux insecte plus avant, *car il est là-bas le saumon, pas sous le canot.* Une danse des sept voiles pour poissons, qui me fascine et m'attire. Tellement, que je me retiens de ne pas plonger pour aller voir par en dessous l'appât effleurer la cornée de la rivière.

Dans le fond de l'eau, un monstre s'éveille, guette la mouche hardie. Soudainement, il saute, gobe l'air, entraîne derrière lui une onde, un lien aqueux entre deux mondes avant de replonger. J'étouffe un cri. Aimé me fait signe de demeurer immobile, de river mes yeux sur le centre du rond d'eau. Une excitation m'envahit. Une mémoire prédatrice ancestrale fait pétiller mes cellules, aiguise mes sens. C'est comme si une lumière plus intense encore que le soleil s'était braquée sur la scène – sur nous dans le canot et sur la rivière. Je flaire le poisson à travers l'épaisseur liquide. Rolland, en transe, ne déroge pas de sa valse intemporelle, pas un sourcillement d'impatience ou d'anticipation. La fausse mouche *rase l'eau décolle rase l'eau décolle*, s'affaire à des activités écervelées d'insecte. Mais au troisième lancer, Rolland la laisse délicatement se déposer sur l'onde, simulacre parfait d'une mouche épuisée. Une offrande du ciel au roi saumon. Le monstre bondit – battements de queue, giclées d'écume – il est hameçonné. Mais sa fin ne fait que débuter.

Il faut cinquante minutes de lutte pour avoir raison de lui. Aimé tient le compte sur sa montre de poche en répétant à mi-voix, *satané champion*. Je ne sais pas s'il décrit la bête ou Rolland. Le vieux guide n'est pas un instant démonté. C'est moi qui m'exténue, tête au soleil, esprit dans l'eau, meurtrie par le combat. Tantôt pour le poisson, tantôt pour le guide : ce conflit de loyauté m'étourdit. Le poisson se démène pour casser la ligne. Rolland le laisse lutter jusqu'à l'épuisement, lui accorde une fin digne.

Les hommes le hissent enfin à bord. Il glisse sur la paroi du canot – le cuir visqueux et le regard morne d'un roi déchu. Il atterrit sur mes pieds et exhale son dernier souffle royal. Une mare de sang s'échappe de ses branchies.

Soudain, tout devient noir...

Une haleine de tabac à pipe chuchote à mon oreille.
— Mamzelle Clarice. Mamzelle Clarice.

J'ouvre les yeux. Le vieux guide est penché sur moi.

— Rolland, lui dis-je en me redressant aussitôt que ma tête me le permet.

— Plus de peur que de mal! crie-t-il à mon père, ses mains en porte-voix.

— Mettez-lui son chapeau sur la tête, bon sang!

Il m'aide à me rasseoir sur le banc et me tend mon chapeau de paille.

— Vous êtes plus blême qu'une ursuline en pénitence, mamzelle Clarice.

Je me visse le chapeau sur le chef et détourne le regard sur les falaises pour lui cacher mon amour propre meurtri.

— Je sais que ce n'est pas la vue du sang ni le soleil qui vous a mis dans cet état, continue Rolland plus doucement. Vous avez le cœur bourré de courage, mais ce courage, il faut le nourrir. Et pour l'instant, vous n'avez pour toute nourriture que du hareng boucané.

Ma lèvre inférieure commence à trembler et de minuscules dards invisibles me piquent le nez, signes indéniables que je vais me mettre à pleurer. Je m'efforce de garder le contrôle.

— Je vais y arriver bientôt. Je n'ai pas le choix, dis-je en ravalant un sanglot.

Des larmes s'échappent du coin de mes yeux.

— Ce n'est pas avec la volonté qu'on attrape le poisson. C'est avec de la patience et de la technique.

— Mais je ne possède ni l'un ni l'autre.

— Alors je vais vous apprendre à moucher. Pour la patience, vous devrez vous arranger toute seule. Mais je pose une condition à mon engagement: vous devez mang…

Avant qu'il ne termine sa phrase, j'essuie mes joues avec un pan de ma jupe et lève mon visage vers lui.

— Merci Rolland. Je vous en saurai gré toute ma vie. Maintenant, passez-moi le sac de victuailles que je m'enfile l'un de ces infects sandwichs.

CHRYSTINE BROUILLET

Dame de cœur, Dame du Pic

Il pleut sur Paris en ce jour de mai, des gouttes fines, qui tombent avec une régularité désolante sur les pavés déjà glissants. J'ai failli perdre pied en traversant le Pont-Neuf. J'ai dû m'appuyer sur la pierre polie d'un encorbellement, me rappelant que j'avais embrassé un homme à cet endroit précis, après lui avoir raconté l'histoire de ce pont érigé au XVIe siècle, baptisé ainsi parce qu'il était le premier pont de Paris où les constructions étaient interdites. Une structure en pierres qui ne flamberait pas comme le précédent, teintant la Seine des couleurs de l'Apocalypse. Un pont tout neuf. Comme mon amour d'alors. Si loin maintenant. Je me souviens pourtant du goût de fumée et d'alcool de prune des baisers de Denis. Est-ce que j'aimais réellement l'âcreté du tabac ? Il me semble inconcevable aujourd'hui de m'être éprise d'un fumeur de Gitanes. Mais à l'époque, j'écoutais Gainsbourg qui brûlait des clopes à la chaîne, j'aimais sa voix, ses images et Denis qui me téléphonait quand il pensait à moi. Qui débarquait après des semaines de silence. Qui m'oubliait dès qu'il quittait mon lit.

J'appelais alors mon amie Michèle pour me plaindre de cet amant qui n'arrivait pas à rester chez moi plus de quelques heures. Et Michèle m'invitait invariablement à déjeuner avec elle. Michèle, mon aînée de vingt ans, qui se revoyait probablement à mon âge dans ces nuits où elle retournait se coucher après avoir raccompagné un homme jusqu'à la porte de son appartement du Quartier latin, après l'avoir regardé traverser le boulevard Saint-Germain, lui adresser un petit signe de la main avant de s'engouffrer dans sa voiture pour rejoindre sa femme à l'autre bout de la ville. Michèle pour qui un autre homme des années plus tard avait quitté son épouse, qui me répétait qu'il existait des êtres qui finissent par écouter leur cœur, qu'il y avait sûrement quelqu'un qui m'attendait quelque part.

— Cela t'arrivera à toi aussi, me promettait Michèle dès que je sonnais chez elle, m'entraînant vers la cuisine.

Minuscule évidemment, comme toutes les cuisines parisiennes. Mon amie arrivait pourtant à créer des plats divins dans cet espace exigu et l'odeur de l'osso-buco qu'elle sortait du four me faisait oublier ma déception amoureuse. Le fromage crépitait sur les rouelles de veau couchées sur un lit de longs macaronis. Je devinais des morceaux de tomates, des oignons, des herbes mêlées aux pâtes et je découvrais la générosité des os, riches d'une moelle qui palpitait, brûlante et onctueuse. Je lui demandais évidemment la recette.

Elle a été suivie de dizaines d'autres... Car Michèle est la meilleure cuisinière que je connais, à l'instinct sûr doublé d'une audacieuse fantaisie, qui devine si intimement les produits que je la soupçonne de leur parler, de leur demander de lui livrer leurs formidables secrets tandis qu'elle trousse un volatile, qu'elle ficelle un rôti ou qu'elle effleure la chair d'un poisson en admirant sa blancheur translucide. Terrine de canard, raie aux framboises, bœuf s'étirant sur une poêlée de pleurotes. De son long séjour en Chine elle a conservé un penchant pour la citronnelle, la coriandre, le sucre qui épouse le sel. Travers de porc caramélisés, moules au curry, salade de bœuf cru aux piments, canapés aux crevettes. Et du Liban qui l'avait tant émerveillée avant les guerres, elle a rapporté un tartare d'agneau à la menthe, une salade de tomates au pain pita que réveille une pointe de sumac, des beignets de cour-gettes, une dorade à la sauce aux pignons, une purée d'aubergine onctueuse, des olives aromatisées aux agrumes qui apparaissent toujours à l'apéro avec un vin d'orange qu'elle concocte chaque hiver, un vin qui sera prêt à boire quand les cigales recommence-ront à chanter en Provence.

Michèle est une merveilleuse sorcière. Pas une fée, qui serait trop lisse, fade, mièvre. La sorcière est une anarchiste qui a ses révoltes et ses secrets tel l'oursin qui cache si bien ses précieuses gonades, dont les épines nous disent qu'on doit mériter sa saveur iodée.

Ou ces noix de Grenoble à la chair si délicate dès lors qu'on fait l'effort de les peler. Avant de rencontrer Michèle, j'igno-rais qu'on pouvait retirer la peau des noix quand elles étaient encore fraîches, que j'en ferais mes délices à chaque automne passé à Paris. Et à chacun de mes retours. Bruit de l'écale qui cède, arôme boisé, peau chamois très lisse, très fine, qu'on tire délicatement avec les ongles. Puis la noix dénudée dans le creux de la main qu'on lèche avant de la saupoudrer de sel. Qui ne croque pas vraiment sous la dent, car elle est trop tendre. On se sourit de contentement. Rien ne peut clore aussi justement un de ces déjeuners où on aura parlé des hommes – encore ! – de son fils, des petits-enfants de son amoureux, de sa dernière expo-sition, généreuse comme sa cuisine, d'un roman étonnant, de notre chère amie Béatrice qui nous a présentées l'une à l'autre, d'un crabe qui a heureusement déserté son sein, de sa mère qui aimait le lilas blanc, de la mienne qui adorait les roses, de son père qui est parti chercher des cigarettes et n'est jamais revenu, du mien qui m'a appris à dessiner – mais c'est Michèle qui est devenue illustratrice –, de mes frères qui ont grandi avec moi alors que mon amie a découvert l'existence de sa fratrie quand tous avaient plus de quarante ans ; nous ne nous cachons rien, nous savons tout l'une de l'autre. Tout.

Nous savons que nous aimons le parfum du mimosa, la couleur violine, le carpaccio, les araignées et que nos siamoises qui nous ont quittées nous manquent toujours, même si Michèle vient de succomber aux charmes d'une jeunette tigrée qui s'étire dans la cour, miaule pour nous y attirer.

À la fin du déjeuner, on traîne toujours un peu au jardin, le vent agite les feuilles du laurier, de l'hibiscus, effleure les tiges de menthe, du romarin, du thym citron planté dans des pots de grès entre d'éclatants géraniums. Le fauve miniature saute sur les genoux de sa maîtresse, Michèle lui gratte les oreilles, me dit que cette petite bestiole aime les courgettes.

— C'est étonnant. D'autant que les courgettes n'ont pas grand intérêt. Kutchük les aime vraiment?

Michèle nie l'insignifiance des courgettes, me décrit un napoléon au ricotta, basilic et courgettes rissolées. J'ai déjà hâte de le savourer. De revenir et revenir encore dans cette maison que j'ai connue en ruines, qui a pu renaître de ses cendres grâce au travail titanesque de l'amoureux de Michèle qui sait tout aussi bien défoncer un mur à la masse que pincer délicatement les cordes d'une guitare ou évoquer le goût de pruneau ou de poivron d'un Pauillac. Je lui dois ma connaissance des vins. Et la certitude que ma meilleure amie est aimée.

C'est aussi Vincent qui nous a raconté que le grand-père d'Anne-Sophie Pic avait un restaurant qui attirait les gourmands de toute la région à Valence. Que c'était un évènement de s'y attabler, qu'il s'était mérité les fameuses trois étoiles. Tout comme sa petite-fille Anne-Sophie. Le restaurant existe toujours. Vincent me montre Valence sur la carte de la France. Nichée au cœur de la Drôme, il doit y faire bien meilleur qu'à Paris, et même chaud.

En traversant le Pont-Neuf, je regrette presque d'inviter Michèle chez la Dame de Pic au lieu de la maison-mère, j'aurais donc aimé une journée ensoleillée, une rue du Louvre pimpante.

Je passe devant le restaurant sans le voir, parce que je suis abritée sous un parapluie et parce que l'entrée est discrète, sans apparat. M'attendais-je à des dorures pour ce temple de la gastronomie où je rêve de m'attabler depuis tant d'années ? Je suis en avance de quinze minutes, il est précisément 11 h 46, c'est tellement tôt pour la Ville Lumière, je suis donc une provinciale un peu embarrassée d'être la première à pousser la porte de l'établissement, mais mes excuses sont balayées avec des sourires. On me guide vers la table qui nous est réservée. On m'apporte de l'eau et un livre du chef étoilé que je parcours en attendant Michèle qui arrive à 12 h pile. Elle n'est pas non plus une vraie Parisienne, beaucoup trop ponctuelle pour faire illusion. En revanche, nous sommes de vraies gourmandes, palpitantes d'excitation à l'idée du repas qui nous attend. Et qui sera bien au-delà de nos espérances.

Michèle s'avance vers moi et comme chaque fois, je suis émue par sa beauté, sa façon de se tenir si droite, royale, comme si les épreuves qui se sont multipliées avec la vieillesse ne parvenaient pas à l'abîmer. Est-ce que l'émerveillement, la fantaisie et l'empathie servent de paratonnerre à la cruauté du temps qui passe, qui griffe les visages ? Oui, sûrement. Avoir toujours été présente au monde, curieuse d'entendre d'autres langues, fascinée par la profondeur d'une peau d'ébène ou la lumière d'un front cuivré a préservé Michèle de la sécheresse du cœur, cette faille où se glisse si aisément la méchanceté. Elle me sourit en s'assoyant, essuie ses mains encore mouillées par la pluie, je regarde les veines saillantes, les jointures plus noueuses, les quelques taches qui les font ressembler aux poires Forelle. Elle regarde autour d'elle, esquisse un léger signe d'approbation, la sobriété du restaurant lui plaît : les murs écrus aux moulures de la même teinte dans des cadres argentés, les nappes et les fleurs immaculées, tout crée un décor extrêmement féminin contrebalancé par la virilité du cuir des banquettes, du bois.

On nous apporte les menus. Je précise qu'on oublie la formule du midi, qu'on doit choisir à la carte des plats différents afin que j'aie le maximum d'informations pour mon prochain roman où il sera question de gourmandise. Michèle jette un coup d'œil à la description des plats et me dit que notre repas permettrait à une famille de migrants de subsister pendant plusieurs jours. Est-ce que c'est indécent de dépenser autant pour un déjeuner ?

— Non. Ce restaurant emploie beaucoup de monde, des gens qui doivent travailler pour gagner leur vie.

Et puis la gastronomie est un volet du tourisme qui fait rouler l'économie de la France qui en a bien besoin, non ? Mais surtout, surtout, c'est un art. Anne-Sophie Pic a mis des jours et des semaines et des mois à créer ce menu, il y a eu des essais, des erreurs, des doutes, elle a puisé dans ses souvenirs, les a reformulés, s'est questionnée et questionnée encore.

— Comme toi quand tu traces une ébauche sur une toile. La différence, c'est qu'un tableau demeure et que les plats sont éphémères. Mais je te jure que le souvenir perdurera…

On glisse devant nous de minuscules guimauves aux cacahuètes et une délicate mise en bouche de céleri émincé, Granny Smith, yaourt dans une émulsion à la pomme verte et à l'aneth. Les scrupules de Michèle battent en retraite devant tant de fraîcheur. Nous poussons en même temps un premier soupir de bonheur alors que le sommelier nous verse un verre de Saint-Joseph 2015 du Domaine Courbis. Ample, gorgé de soleil, il nous fait oublier le crachin tenace qui ternit Paris depuis des jours.

Et voilà qu'on dépose l'entrée qui célèbre le printemps : dans un bol peu profond, une mirepoix d'asperges du vert exact des bourgeons qui pointent aux branches des marronniers s'épanouit dans une huile de verveine et de réglisse dans laquelle s'épousent des asperges rôties au beurre d'anis. Des asperges – blanches cette fois – et crues entourent un œuf mollet à la cuisson si parfaite que nous interrogeons notre serveuse. Léa nous explique qu'il a été cuit durant 45 minutes à 64 degrés Celsius, pas plus, pas moins. Cette précision scientifique nous rappelle que la science est souvent au service de l'Art. J'hésite à attaquer un plat si joli, mais comment résister aux arômes qui s'en échappent ? Je découvre la vraie nature de la verveine qui jusqu'alors dans ma vie a été synonyme d'insipide tisane, le côté si pimpant des asperges. C'est absolument sublime !

Nous trinquons à nouveau, je vois une lueur d'interrogation dans l'œil de Michèle qui me décrit une jeune femme assise derrière moi, que j'ai entraperçue lorsqu'elle est arrivée avec son compagnon, l'air boudeur.

— Elle n'a pas eu un sourire depuis qu'elle est assise. On dirait que tout l'ennuie. Elle chipote.

— Ici ? Je suis incrédule et je la plains. Rien ne pourra jamais la satisfaire.

Je décris à mon tour un homme seul, installé plus loin qui comme moi prend des notes dans un carnet, des photos, ferme les yeux quand il savoure également l'œuf parfait, je lis l'étonnement sur son visage, le ravissement. Il se dit qu'il a bien fait de quitter le Japon pour découvrir le travail d'Anne-Sophie Pic. Je regarde les autres clients, des hommes en complet-veston qui attaquent leurs plats sans les avoir préalablement admirés ; je suppose qu'ils font preuve de la même avidité en affaires, pressés de conclure. Ils en sont au plat principal alors qu'ils se sont attablés après nous. Ils semblent prêts à passer au café qu'ils expédieront en deux gorgées.

Mais comment peut-on avoir envie de terminer ce repas ? Je voudrais ne jamais finir mon assiette de tourteau d'un équilibre sidérant : le crabe intégré à une pannacotta est parfumé à la livèche et au poivre de Timut, caché sous de fines lamelles de radis, confié à une gelée d'un jaune d'or au lait d'amande et au mikan. Je questionne à nouveau, j'apprends que le mikan est une clémentine japonaise. Des gouttes de mayonnaise à l'aneth qui brillent comme des émeraudes sur la surface brillante nous subjuguent.

Je bois la dernière gorgée du vin du sud avant de humer le prochain cru, un bourguignon, mon préféré entre tous, le Chassagne-Montrachet 2014, du Domaine Bertrand Bachelet. Des fruits des bois explosent maintenant dans mon palais. J'évoque un séjour dans la région, mon ébahissement en découvrant tant de célèbres crus sur un si petit territoire. Il faut rouler doucement d'une maison à l'autre entre Chalon-sur-Saône et Dijon si on ne veut pas manquer Meursault ou Chambolle-Musigny. Tout le contraire de l'empire bordelais si vaste, ou de la Champagne au climat plus austère. Je trempe mes lèvres, je déguste la France, elle est tout entière dans ce verre, riche de son histoire, du labeur des vignerons, de la variété de ses climats. C'est la France des gens fiers de cette terre qui donne tant.

Voilà la poitrine de pigeonneau fumé et mariné au cœur d'un rose à peine plus soutenu que celui de la rhubarbe sur lequel on l'a couché, la cuisse confite se dresse entre les quenelles d'abattis mixés avec du rhum et les morceaux de céleri rôti glacé, ses feuilles, apportent un soupçon d'amertume à ce plat qui m'émeut par ce savant mariage entre l'acidité pimpante du fruit et la viande à la chair boisée, la simplicité apparente de la sauce réduite au pigeonneau et le dosage exact du poivre cubèbe.

Michèle et moi n'avons pas parlé depuis un moment, conscientes que les superlatifs dont on userait pour décrire le plat ne parviendraient pas à rendre sa magie.

Et pourtant, pourtant… on tentera de trouver les mots pour s'extasier du dessert choisi par Michèle: des quenelles à la vanille et au curcuma d'un doux jaune pâle étreignent une glace au mikan, couronnée de biscuits sertis de perles de chantilly à la bergamote.

Mon dessert, habile construction de cylindres de sorbet à la mangue, d'un fin tube opalin à la pistache d'Iran, de crème à la cardamome, est délicatement parsemé de fraises et de menthe. Je pense à un tableau de Delaunay. On questionne encore une fois l'adorable Léa, mystifiées par les textures et les saveurs qui se télescopent. Les *Correspondances* de Baudelaire s'imposent à mon esprit. Oui, «les sons, les couleurs et les odeurs se répondent» dans cet écrin de délices où l'après-midi s'étire comme un chat paresseux. Nous n'avons pas envie que ces moments de grâce s'achèvent. Nous reprenons un café, accompagné de mignardises : de sombres ganaches caramélisées aux baies roses contrastent les blanches guimauves au yuzu et au thym citronné.

La perfection est de ce monde.

Elisabetta, la directrice du restaurant, aussi élégante que chaleureuse, nous raccompagne vers la sortie et nous restons quelques secondes devant la porte du paradis qui s'est doucement refermée. Nous oublions d'ouvrir nos parapluies. Puis l'incessant tumulte de la rue de Rivoli nous rappelle que nous sommes dans la ville la plus touristique au monde, qu'il vente, qu'il tempête, qu'il pleuve comme cet après-midi-là. Mais le mauvais temps ne peut plus nous atteindre, nous sommes toujours sur notre nuage de bonheur, nous nous sourions, béates de gratitude en évoquant les merveilles que nous avons dégustées. Michèle me dit qu'elle n'oubliera jamais ce moment, qu'elle n'était jamais allée dans un restaurant gastronomique de sa vie. Je m'en étonne, j'étais persuadée qu'elle avait connu des grandes tables pour être une si bonne cuisinière. Elle me corrige.

— Des tables célèbres, oui. Des endroits chers, oui. Mais rien qui ressemble à ce que nous avons vécu.

Elle me serre contre elle, je souris en songeant qu'il y a donc encore des choses que j'ignore de mon amie à qui j'espère ressembler en vieillissant. M'émerveiller avec la même candeur lorsque j'atteindrai l'âge vénérable de quatre-vingt-un ans…

GENEVIÈVE BROUILLETTE

L'art de la déshydratation

Assise sur le sol de la cuisine, j'ai le sentiment qu'il me manque quelque chose. Je passe en revue chacun de mes membres, je cherche, puis ça me frappe. Pour la première fois depuis des jours, je ne sens plus la douleur dans mon dos. Envolée. Comme par magie. Je contemple les armoires maculées de débris et encore une fois, je me félicite d'avoir choisi le fini plastifié blanc chez Ikea. Même si tout le monde a ça, ça se nettoie tellement bien. Plus tard. Pour l'instant, je savoure. Le silence retrouvé. Et mon dos, enfin délivré. Au loin, si peu perceptible que ça n'égratigne pas mes nerfs, le jappement d'un chien, de la musique qui s'échappe d'une voiture, une sirène. J'appuie ma tête sur mon poêle, je ferme les yeux et j'inspire. Expire. Puis souris. Que Dieu bénisse le gars qui a inventé la morphine. Mais j'y pense… c'était peut-être une fille.

: :

Quand le camion de déménagement a reculé dans la cour de la maison d'à côté et que François et moi guettions par la fenêtre la gueule qu'allaient avoir les nouveaux voisins, je ne me doutais pas que ma vie allait basculer ainsi.

Il faisait beau ce jour-là. Un homme, une fillette blonde et un grand adolescent ont sauté de la cabine du camion, et notre fille est immédiatement devenue fébrile à l'idée de peut-être se faire une nouvelle amie. Ils m'ont tout de suite semblé sympathiques. L'homme avait un regard doux. Mon intuition me disait qu'une vie agréable serait possible, aux côtés de ce père divorcé ou veuf, que je pourrais même lui apporter un peu de soutien pour élever ses deux enfants.

La prochaine fois, rappelez-moi de ne pas me fier à mon intuition.

François s'est rapidement désintéressé de la scène, mais quelque chose a retenu mon attention. Au bout de la rue, un petit point rouge a grossi, jusqu'à se transformer en voiture décapotable, qui s'est arrêtée juste devant notre maison. On entendait sa musique depuis beaucoup trop loin. La petite a crié « maman ! » et une jeune femme blonde s'est élancée vers elle. Le bruit avait ramené derrière moi François, dont j'entendais la respiration s'accélérer dans mon cou alors qu'il scrutait l'extérieur.

La femme blonde s'est avancée vers l'homme, ils se sont embrassés sur la bouche. On aurait dit qu'elle avait oublié de s'habiller. Elle ne portait qu'un collant très moulant et une camisole qui épousait parfaitement les contours de sa poitrine et de son ventre plat. Sans plus. Pas de jupe ni de chandail.

J'apprendrais plus tard qu'il s'agissait de son uniforme de travail.

François ne lâchait pas des yeux ses petites fesses musclées et sans doute l'imaginait-il déjà nue.

Il a appelé notre fille, Léa, et lui a ordonné : *Va faire semblant de chercher ton chat en avant ! Enweille. Pis dis bonjour aux nouveaux voisins.* Léa, qui tenait justement son chat dans ses bras, a protesté, mais François a ajouté : *Je te paye une crème glacée molle si tu y vas tout de suite.* Léa a filé dehors.

Quand il a croisé mon regard consterné, il s'est justifié en disant que plus vite on briserait la glace avec les nouveaux voisins, mieux ce serait. Il est allé enfiler un t-shirt propre, et je n'ai pas pu m'empêcher de replacer mes cheveux devant le miroir près de la porte. Il m'a demandé de monter enfermer le chat dans la chambre de la petite et, en redescendant, j'ai ressenti un premier pincement de douleur au bas du dos. Un truc furtif. Une minidécharge électrique repartie aussi vite qu'elle était apparue. Je me suis même demandé si je n'avais pas rêvé. Nous avons fait mine de sortir prêter main-forte à Léa pour son chat.

Les deux petites filles étaient déjà en train de se toiser de part et d'autre des allées de stationnement. Léa a dit machinalement, comme un robot qui récite : *Je cherche mon chat.*

François s'est approché en souriant et il a dit : *Voyons, Léa, ne dérange pas les nouveaux voisins !* L'homme s'appelait Martin, et sa femme, venue se lover contre lui, Nathalie. François m'ignorait. Je me suis donc présentée moi-même : Linda.

François a fait un peu la conversation, puis comme je posais une question à Martin sur sa profession, il m'a coupée en me disant d'arrêter de les embêter, qu'ils avaient sûrement beaucoup de travail devant eux. Très relax, Martin a répondu que, eux, ils adoraient ça, déménager. Sa Nathalie était la reine de l'organisation. Elle a même proposé qu'on se joigne à eux le lendemain pour regarder un match important de soccer à la télé – je n'ai pas trop compris, un truc international ; ils ne seraient pas parfaitement installés, mais ça leur ferait du bien de se détendre avec de nouveaux amis et d'en apprendre un peu plus sur le quartier. Si nous aimions le soccer ? Évidemment. François s'est écrié qu'il était un fan et on a tous convenu de se retrouver chez eux en fin d'après-midi le lendemain. J'ai promis que j'apporterais un plat. Nathalie a dit que ce n'était pas nécessaire. J'ai insisté.

De retour à la maison, François s'est jeté sur l'ordinateur. Il n'avait jamais regardé un match de soccer plus de cinq minutes et ne savait même pas quelles équipes étaient en finale. Il a passé la journée à apprendre le nom des joueurs de chaque équipe et à peaufiner des blagues pour l'occasion. Moi, je suis allée faire des courses pour dénicher les ingrédients nécessaires à la préparation de ma tarte aux tomates, un classique que je ne rate jamais et qui s'apporte si bien chez des voisins.

Avant de me coucher, j'ai jeté un œil sur Léa, qui dormait paisiblement avec son chat. Elle est mignonne, avec son visage rond et ses épaisses boucles brunes. Elle a vraiment la morphologie des Plourde. On est toutes comme ça, les femmes, dans ma famille. Courtes sur pattes et rondelettes. Mais on a de jolis visages. Et Léa a de beaux cheveux, en plus.

Je me suis ensuite mise au lit, alors que François étudiait toujours les rudiments du soccer en prévision du lendemain.

En pleine nuit, une douleur au dos m'a réveillée. Même endroit que plus tôt, mais cette fois-ci, ça persistait. J'ai changé doucement de position, en me tournant sur le côté. La brise soulevait les rideaux, et j'apercevais une lueur dans la chambre de nos nouveaux voisins. Ils n'avaient pas encore installé de stores devant leur immense *bow-window*. François dormait dos à moi, face à la fenêtre. Puis j'ai entendu une sorte de complainte étouffée. Un coup de vent plus fort a fait voler notre rideau, et j'ai compris que la complainte était en fait un gémissement de plaisir. J'ai vu la voisine, nue, debout contre le bureau, la tête de Martin enfouie entre ses cuisses. Elle jouissait de plus en plus fort, et j'ai fermé les yeux, tellement mal à l'aise de les avoir surpris. Et là, c'est à côté de moi que j'ai entendu un gémissement étouffé et j'ai compris, en voyant le coude de François bouger en cadence, qu'il se masturbait en les regardant. Mon cœur s'est arrêté. Cette douleur dans mon dos est devenue encore plus violente, comme si on venait d'y planter un couteau.

: :

Le lendemain, j'ai préparé ma pâte brisée sans même consulter mon livre de recettes, je l'ai faite cent fois déjà. Farine, beurre, eau, sel et juste quelques grains de sucre. J'ai confectionné la tarte : moutarde, tomate, olives noires, basilic, fromage et hop au four trente minutes, ça sentait bon dans la cuisine.

On a traversé à l'heure dite chez les voisins. François a décidé que ça faisait plus cool d'arriver par-derrière. Nathalie, en bikini, a eu l'air beaucoup trop contente de nous voir apparaître. Les deux bouts de tissu qu'elle portait étaient si petits que je ne sais même pas si on aurait pu appeler ça un maillot de bain. Son corps musclé était mouillé et on voyait ses mamelons poindre à travers le nylon. J'ai détourné les yeux. Pas François. Quelque chose a de nouveau coincé dans mon dos. J'ai eu l'impression que je ne pourrais pas faire un pas de plus. Nathalie m'a débarrassée de mon plat et elle a dû voir la grimace de douleur sur mon visage, puisqu'elle s'est inquiétée de savoir si j'allais bien. Je lui ai répondu que c'était presque rien, juste un petit élancement au dos, j'avais dû dormir dans une mauvaise position. Désolée pour moi, elle a ajouté qu'elle avait adoré sa première nuit dans sa nouvelle maison et qu'elle y avait dormi comme un bébé. *Tu m'étonnes !*

Elle bavardait en nous entraînant à l'intérieur, et j'ai été ébahie d'entrer dans une maison déjà impeccablement rangée. Nathalie sortait de la piscine plutôt que de se tuer à la tâche : comment était-ce possible ? Elle a appelé son mari, lui annonçant que nous étions là, puis elle a posé mon plat sur son comptoir. Elle a suggéré à Léa de monter à l'étage rejoindre sa fille, Malika. Notre fille a filé comme une petite souris. Martin est apparu, décontracté, un verre à la main : *Il doit bien être cinq heures quelque part dans le monde !* J'ai eu un flash de ce qu'il faisait à sa femme la nuit dernière et j'ai rougi. François aussi y a pensé, j'en suis sûre. Il s'est approché de Nathalie qui déballait ma tarte aux tomates.

Elle s'est exclamée que ça avait l'air délicieux, mais Martin avait l'air plutôt mal à l'aise. Il m'a demandé s'il y avait de la farine de blé dans ma pâte et ils ont souri tristement lorsque j'ai répondu par l'affirmative. Nos nouveaux voisins ont banni le gluten de leur vie depuis maintenant huit mois et ils n'y reviendront pour rien au monde. Ça a permis à Martin de perdre son petit ventre sans aucun effort, et Nathalie se sent pleine d'énergie, plus en santé et même plus épanouie. Elle m'a tout de même remerciée pour mon effort, puis elle a sorti de son frigo des crudités coupées – quand avait-elle trouvé le temps de faire ça? – et des biscottes à l'allure de tuiles de parmesan. Martin a offert à boire à François, qui lui a tendu la bouteille de vin que nous avions apportée en blaguant: *J'espère que vous avez pas coupé l'alcool aussi!* J'étais en colère, mais je pense que ça ne paraissait pas. Je souriais en me demandant pourquoi, quand j'avais dit que j'apporterais un plat, personne n'avait pris la peine de me mentionner de préparer quelque chose sans gluten.

Ça a sonné à la porte et Nathalie est allée répondre, toujours presque nue.

Elle est revenue en appelant Benjamin, le grand ado, lui disant que sa mère était là. Martin a mimé «déjà?» et elle a répondu en levant les yeux au ciel. Martin s'est excusé et s'est dirigé vers la porte d'entrée. On a entendu des éclats de voix. Nathalie a crié à Benjamin de se dépêcher et nous a demandé de les excuser pour cette situation, le divorce étant récent. Lorsque Martin nous a rejoints, François avait commencé à dévorer les craquelins posés devant nous par Nathalie et, après y avoir goûté moi aussi, je lui ai dit que ses tuiles de parmesan étaient très bonnes. Même si je cherchais ce qui me dérangeait dans leur petit arrière-goût. Nathalie s'est amusée de ma méprise. Ce que je mangeais là n'avait rien à voir avec du fromage!

Nathalie a entrepris de faire notre éducation. Dans le délice que François tenait entre ses doigts, il n'y avait que des ingrédients vivants. François a réagi avec l'étonnement intéressé de quelqu'un qui a l'occasion de discuter avec un prix Nobel. Eh oui, ces petits craquelins contenaient en fait des noix germées, des graines germées (j'allais apprendre que le «germé» était très important), des légumes râpés et moult autres choses vivantes qui avaient tout simplement été déshydratés, de manière à ne pas « tuer » le pauvre aliment que l'on s'apprêtait à laisser entrer dans notre organisme. C'est là que j'ai découvert que la cuisson tue.

Nathalie nous a entraînés vers un coin de son comptoir pour nous montrer la merveille avec laquelle elle avait fait le craquelin que François tenait toujours entre ses doigts, mais avec un respect renouvelé, n'osant même plus le porter à sa bouche.

Avec son déshydrateur multiplateau, Nathalie déshydrate ses propres herbes, ses propres fruits, ses propres chips de kale, et j'en passe. Il suffit d'étendre l'ingrédient sur le plateau, et l'appareil fait tout le reste. Qui peut être assez fou pour se passer d'une telle machine ?

Nathalie s'est tournée vers moi pour me confier que les enfants raffolaient de ses recettes déshydratées et que ça pourrait être une excellente façon de faire perdre du poids à Léa dans la bonne humeur. Comme je l'écoutais jusque-là avec un sourire forcé et une expression faussement intéressée, je n'ai pas remué un cil de plus quand ma respiration s'est interrompue. J'ai même arrêté d'entendre les mots qui sortaient de sa bouche. Ils ont été remplacés par un ver d'oreille, le début d'une chanson qui tournait en boucle dans ma tête. Alors que cette femme venait d'affirmer, sans aucun malaise, que ma fille était anormalement grosse, elle poursuivait, comme si de rien n'était, son monologue en mettant des plateaux dans les mains de mon mari pour qu'il puisse tester la qualité du plastique dont ils étaient faits. François s'extasiait et moi, j'ai été sortie de ma torpeur par un nouveau coup de poignard au dos qui, cette fois, m'a fait échapper un petit cri.

Tout le monde m'a regardée, et j'ai avoué que je ne comprenais pas d'où me venait cette douleur terrible, que ça avait commencé hier, et ils m'ont fait asseoir au salon avec sollicitude. Ils ont allumé leur immense télé, mais le match de soccer n'était pas encore commencé. François discutait des joueurs avec Martin, mettant à profit ses recherches de la veille.

Comme j'étais silencieuse, Nathalie s'est informée de ce que je faisais comme exercice physique. Professionnelle, elle m'a rappelé que pour les maux de dos, il n'y avait pas de recette miracle. *Abdos, abdos, abdos.* Je déteste l'exercice, mais j'ai menti en affirmant que depuis quelque temps mon surplus de travail m'avait empêchée d'en faire autant que j'aurais voulu. Elle m'a gentiment grondée. Il ne fallait pas me surprendre de mes douleurs au dos, alors. Et elle savait de quoi elle parlait. Elle m'a offert de venir m'inscrire au gym où elle enseignait son sport préféré, le *pole fitness*. Cette dernière information a attiré l'attention de François qui a affirmé qu'il avait su, dès le premier coup d'œil, qu'elle était adepte de sport. Elle a été soulagée que nous n'ayons pas fait de mauvaises blagues sur «la danse à la barre verticale». Elle a l'habitude d'essuyer certaines railleries ou des commentaires machos quand elle annonce que c'est le sport qu'elle pratique. Selon elle, les bars de danseuses en ont donné une mauvaise image, alors que c'est un sport si exigeant, qui mérite le respect. Je lui ai fait remarquer qu'elle en parlait comme si les stripteaseuses avaient détourné la danse de poteau de sa vocation initiale, mais en avait-elle eu une autre avant? Nathalie ne comprenait pas ce que je voulais dire. Je lui ai promis que je m'inscrirais dès la semaine suivante. François a ajouté qu'il me payait l'abonnement.

Pendant le match, François, qui avait un peu exagéré sur l'alcool, s'est mis à devenir gênant à force d'être trop enthousiaste. Guettant du coin de l'œil les réactions de Martin pour confirmer que c'était bien son équipe qui avait le ballon, il encourageait les joueurs, trinquait avec nos hôtes et s'extasiait sur le fait que chacune des bouchées qu'il prenait dans le plateau d'amuse-bouche déposé devant nous était «vivante». Je m'ennuyais fermement, et je tentais de relaxer les muscles de mon dos en laissant mon esprit et mon regard vagabonder sur le mobilier de salon sûrement importé d'Italie, la piscine, le ventre plat et les seins refaits de Nathalie. Je sais que ce ne sont pas ses vrais seins. Quelqu'un m'a déjà dit que le Bon Dieu était équitable. Quand une femme a un cul minuscule, ses seins sont censés être du même format. Moi, j'ai de gros seins, et les fesses rondes qui viennent avec. L'ennui avec la chirurgie plastique, c'est qu'ils peuvent donner mes seins à un petit cul, mais pas l'inverse. Je ne peux pas garder mes seins et hériter du derrière de Nathalie.

Après la mi-temps, j'ai prétexté que ma fille devait prendre son bain et se mettre au lit pour filer. François, devenu adepte de soccer, ne voulait surtout pas manquer la fin du match. Il s'est donc attardé avec ses nouveaux amis. En passant la porte de ma maison, j'ai été soulagée de constater que mon mal de dos s'était dissipé.

Même si on avait mangé chez Nathalie, Léa et moi, on a grignoté les restes d'un macaroni au fromage plein de gluten et on l'a dégusté à même le plat, assises au comptoir de la cuisine. Elle m'a raconté avec ses mots d'enfant qu'avant, Malika habitait avec son papa et sa maman (Nathalie) dans la maison juste à côté de celle de Benjamin, de sa maman et de son papa (Martin). Ils s'entendaient bien et ils étaient tout le temps tout le monde ensemble. Mais maintenant, Malika vit avec sa maman, Benjamin et Martin. Et le papa de Malika, lui, il habite tout seul. Et la maman de Benjamin aussi. Toute seule. Comme une petite pomme abandonnée au fond du frigidaire. Pas déshydratée. Passée date.

: :

Je n'ai pas beaucoup vu François la semaine suivante. Il a un horaire de travail rotatif. Une semaine, il bosse de jour, puis après son week-end de congé, il fait l'horaire de soir, puis de nuit et ça repart. Cette semaine-là, il travaillait de soir. De seize heures à minuit.

Le vendredi, François est rentré vers trois heures du matin. Il était sorti prendre un verre avec un collègue après le travail. Je me suis réveillée alors qu'il me tâtait les seins en m'écrasant de son poids. Quand il a vu que j'avais les yeux ouverts, il m'a demandé d'enlever ma culotte, que ça faisait trop longtemps. J'étais d'accord, ça faisait longtemps, même si j'aurais pu imaginer des manières plus tentantes de me le faire proposer. Il sentait l'alcool. J'ai voulu enlever ma chemise de nuit : il ne voulait pas. Il gardait les yeux fermés, comme pour oublier qu'il était avec moi. Après quelques approches ratées, il s'est impatienté. J'ai alors tenté de lui donner un coup de main, mais il m'a dit de me taire et de ne pas bouger. Il a fini par se tourner sur le côté, il a marmonné que sa vie c'était de la marde, puis s'est rapidement mis à ronfler.

Je suis descendue boire un verre d'eau. Près de la porte, il y avait les clés de François, sa poignée de change et son portefeuille d'où dépassait un reçu de carte de crédit. Mon mari s'était saoulé aux danseuses.

Le lendemain matin, il a été très gentil, disait n'avoir aucun souvenir de son arrivée la veille, espérait ne pas avoir fait trop de bruit en rentrant. Il est allé faire des courses et est revenu avec une grosse boîte enveloppée. Je l'ai trouvé touchant dans sa maladresse à se faire pardonner jusqu'à ce que je voie qu'il m'avait acheté un déshydrateur. C'est là que mon dos a barré pour vrai. J'en ai hurlé de douleur, le souffle coupé. Je me suis mise à quatre pattes, incapable de bouger. François a tenté de me relever, je lui ai crié de me laisser là. Il est allé me chercher des Tylenol, à ma demande, et je m'en suis enfilé quelques-unes. On a sonné à la porte, c'était Nathalie qui m'avait entendue crier et voulait savoir si j'allais bien. François est devenu tout excité, à s'excuser que le ménage ne soit pas fait, à offrir à boire à Nathalie, mais elle s'est plutôt accroupie à mes côtés et m'a demandé si je voulais aller à l'hôpital. François a répondu que non, que ça allait passer, mais elle m'a regardée, le visage défait par la douleur, et a déclaré que c'était un cas d'urgence. Il lui a fait remarquer qu'il avait acheté un déshydrateur, elle lui a dit de s'occuper de Léa, qu'elle m'emmenait. J'ai enfin réussi à articuler que je la remerciais, mais que je préférais rester ici, que ça passerait. La dernière chose que je désirais, c'était d'attendre dix heures avec elle et ses leggings dans une salle d'urgence. Elle est allée me chercher chez elle un sac glacé, qu'elle m'a dit d'appliquer sur la douleur, puis elle m'a souhaité bonne chance. J'avoue que sa glace m'a soulagée. Au bout de dix minutes, j'ai pu m'asseoir, et avec quelques verres de vin et quelques Tylenol de plus, j'ai réussi à m'assoupir.

Le dimanche, je me suis reposée en appliquant de la glace régulièrement et ma douleur a diminué. J'ai consulté Internet pour mon mal de dos, mais aussi pour trouver quoi faire avec mon déshydrateur. Même si c'était une drôle d'idée, François avait voulu me faire plaisir avec ce cadeau et je voulais lui montrer que j'étais reconnaissante. Le repos m'a fait le plus grand bien et lundi matin à mon réveil, j'étais toute réparée et décidée à me lancer dans la déshydratation.

J'avais trouvé une recette qui semblait celle des fausses tuiles au parmesan de Nathalie que François avait tellement aimées. Après le travail, j'ai acheté tous les ingrédients et je suis rentrée motivée, bien décidée à lui en préparer pour son lunch. Je ne lui dirais pas que ses petits craquelins venaient de me coûter cinquante dollars d'ingrédients.

C'est là que j'ai frappé mon premier mur de déshydratation. Je devais d'abord faire tremper pendant huit heures les noix et les graines que j'avais payées une fortune. Une façon de « réveiller » la graine, si j'ai bien compris, pour qu'elle germe et se sente vivante avant de venir crever dans mon ventre. Ce qui m'a menée à un calcul complexe. Je ne pouvais pas les mettre à tremper ce soir, ça ferait huit heures demain matin, et je devais aller travailler. Et si je les laissais tremper toute la journée, ça ne semblait pas fonctionner non plus. Les sites ne s'accordaient pas sur ce détail : certains disaient qu'il était bon de changer l'eau de trempage toutes les deux heures, d'autres que ce n'était pas nécessaire. Que faisait Nathalie ? Elle devait changer son eau. J'ai coupé la poire en deux et décidé de profiter de mon heure de lunch du lendemain pour venir le faire.

J'ai alors cru bon de lire la suite de la recette, pour éviter d'autres mauvaises surprises, et c'est là que j'ai découvert que je devais étendre ma pâte (car j'aurais éventuellement une pâte) sur des feuilles Téflex. J'ai regardé sur le web : ça semblait être une sorte de silicone. J'ai fouillé dans la boîte du déshydrateur pour trouver des feuilles Téflex et j'en avais ! Deux. Il m'en fallait au moins dix. J'ai pris mes clés de voiture, installé ma fille sur le siège arrière, et on est allées à la quête des Téflex.

Nous sommes revenues bredouilles. Dans ma ville, il n'y en a pas. Nulle part. J'ai vérifié. J'ajouterais même que personne ne semble avoir jamais entendu parler de Téflex auparavant. J'ai eu l'air d'une idiote.

Je suis rentrée irritée pour trouver mon mari, irascible lui aussi, qui devait manger avant de partir travailler et se demandait pourquoi le repas n'était pas prêt. Il était particulièrement de mauvais poil et je me demandais bien quelle mouche l'avait piqué. Après avoir fait cuire les courgettes qui devaient initialement servir à l'alimentation vivante, j'ai finalement commandé mes feuilles Téflex en ligne… qui seraient livrées dans cinq à dix jours ouvrables pour trente dollars livraison incluse.

Mes graines et mes noix sont donc demeurées endormies.

Je croisais parfois Nathalie ou Martin. Ils étaient toujours pleins de sollicitude, s'informaient de l'état de mon dos, que je sentais fragile. Nathalie m'a rappelé de passer la voir à son gymnase quand j'irais mieux. Je dois admettre qu'elle était très gentille avec moi.

J'ai demandé à François s'il était sérieux quand il avait dit qu'il paierait mes cours, si je m'abonnais aux leçons de *pole dancing* de Nathalie, et il a failli mourir étouffé dans sa bouchée de pâté chinois. Il a tellement ri que ses yeux se sont mis à couler et qu'à la fin, il avait l'air de pleurer. Il m'a dit que l'idée de moi dans une classe de *pole dancing*, c'était aussi saugrenu qu'un éléphant qui fait du ballet en tutu.

J'avoue m'être endurcie avec les années. Je sais qui je suis et je ne m'illusionne pas. Mais là, ça a fait mal.

Je suis sortie marcher pour qu'il ne voie pas qu'il m'avait blessée et j'ai aperçu par la fenêtre de leur rez-de-chaussée Nathalie et Martin qui dansaient dans leur salon. Ils m'ont vue et m'ont fait un chaleureux salut de la main. Je leur ai souri. Ils sont sortis prendre des nouvelles de mon dos. Je leur ai confié que j'avais encore parfois des épisodes douloureux et que je redoutais la prochaine crise, mais que j'avais rendez-vous chez mon médecin trois semaines plus tard. Nathalie est entrée chez elle puis en est ressortie avec un flacon de pilules. Elle m'a raconté qu'elle s'était mise au *pole dancing* après avoir passé plus d'un mois alitée à cause d'un mal de dos. Elle ne m'en avait pas parlé pour ne pas m'effrayer, mais elle me recommandait de prendre soin de moi, pour ne pas en arriver au même point qu'elle. Elle m'a donné le flacon. C'était de la morphine. J'ai protesté, tout le monde sait que ça ne se fait pas, prendre les médicaments de quelqu'un d'autre. Mais elle a insisté pour que je les aie sous la main d'ici à ce que je voie mon docteur. Une seule petite pilule si la douleur est trop forte, l'important est de ne pas abuser. La morphine fait des miracles, elle m'a dit. J'ai accepté. Martin a changé de sujet et m'a demandé de prendre soin de sa chérie pendant qu'il serait parti en voyage d'affaires. En riant, Nathalie lui disait d'arrêter de faire le macho, qu'elle s'organiserait très bien toute seule. Je lui ai promis d'avoir un œil sur elle.

: :

J'ai fini par recevoir mes feuilles Téflex. Je ne savais plus trop pourquoi je voulais faire cette recette, mais je m'y entêtais. Mon mari avait commencé son horaire de jour. Le matin, j'ai mis mes trucs à tremper, en me demandant si je les plaçais dans le bon contenant. À l'heure du lunch, je suis venue changer mon eau en vitesse, puis j'étais de retour au bureau avec à peine quelques minutes de retard après avoir mangé une barre protéinée dans la voiture. En après-midi, mon dos a recommencé à se faire sentir. Rien de grave, juste une sensation plus qu'une douleur.

Quand je suis rentrée en fin de journée, j'ai servi une collation à Léa, je l'ai installée devant le téléviseur et j'ai commencé ma recette. Je devais d'abord faire tremper (encore!) mes tomates séchées pendant quinze minutes dans l'eau froide. Puis il fallait que j'utilise mon robot pour réduire, par petites quantités, mes noix et mes graines germées. L'opération m'a pris une quarantaine de minutes. Les graines moulues germées s'agglutinaient sur les lames de mon robot vieux de vingt ans. Je devais les décoller avec une spatule afin de pouvoir le remettre en marche. Ensuite, je devais transférer le tout dans un bol, y ajouter mes tomates trempées, mes courgettes râpées et d'autres ingrédients, les mélanger à la main, puis les repasser au robot, en petites quantités. Au bout d'une autre heure, il me semblait avoir atteint la consistance voulue… J'étais debout devant mon comptoir depuis longtemps et mon dos me faisait souffrir.

J'ai réchauffé une part de lasagne pour ma fille. François m'a téléphoné pour me dire qu'il allait prendre un verre avec des collègues, de ne pas l'attendre. Ça m'arrangeait. J'ai donné le bain à Léa et lui ai lu une histoire, puis je suis revenue à la cuisine, vaguement inquiète que ce délai ait nui à ma recette. Oubliant mon dos, j'ai entrepris d'étendre de minces couches de pâte sur mes feuilles Téflex. Mais nulle part on ne m'avait expliqué quoi faire avec la pâte qui collait à ma spatule, à mes doigts, au Téflex. Je me suis battue avec cet épandage une autre bonne heure, en salissant de plus en plus ma cuisine qui débordait de bols, de purée de noix séchée, de pièces de robot culinaire, de torchons sales. Comme mon dos me faisait très mal et que je voulais absolument terminer ma recette, j'ai avalé un des comprimés de morphine de Nathalie avec un grand verre de vin et j'ai fini d'empiler mes plateaux tapissés de Téflex débordant de pâte vivante.

Puis j'ai programmé la machine. Maintenant, à elle de jouer. J'ai relu plusieurs fois le temps de déshydratation recommandé, me demandant si c'était la morphine qui faisait déjà effet. Je devais les déshydrater de 36 à 48 heures! Tout dépendait de la puissance de mon déshydrateur. Et je ne devais pas m'inquiéter, car, toujours selon la recette, je *saurais* quand mes tuiles seraient prêtes. J'étais censée sentir, au toucher, que l'eau était tout évaporée. Cette recette présumait que je possédais un sixième sens au bout de mes doigts qui connaissait intuitivement toutes les subtilités de la déshydratation. J'ai contemplé mes plateaux enduits d'une pâte brunâtre et j'ai soudain réalisé que ça ne ressemblait absolument pas, ni par la couleur ni par la consistance, à ce que Nathalie nous avait servi. Je me suis convaincue qu'après les 36 à 48 heures de déshydratation prescrites, la couleur et la consistance changeraient. J'ai démarré l'appareil. Le bruit d'un ventilateur a envahi la cuisine et la douleur dans mon dos est descendue le long de ma jambe gauche. Soufflée par cette nouvelle crise, je me suis appuyée sur le comptoir, ma main dans les résidus collants de pâte. Même si c'était atroce, je ne pouvais lâcher des yeux la machine qui vrombissait. Pour manger vivant, j'allais vraiment devoir supporter ce ronronnement durant deux jours? J'ai entendu ma fille m'appeler de son lit: *Maman, c'est quoi le gros bruit?* J'ai claudiqué jusqu'à sa chambre pour fermer sa porte en lui disant que ce n'était rien, de se rendormir.

Onze heures trente. François aurait quand même pu téléphoner. J'ai fait un stop par la salle de bain pour avaler un autre comprimé de morphine, puisque le premier n'avait pas fait effet. J'ai eu un petit moment de découragement, de retour à la cuisine, en constatant les dégâts. De la vaisselle sale partout, l'évier qui déborde, des taches même sur mes portes d'armoire. Tout ça en cuisinant cru. J'ai pris mon courage à deux mains pour m'attaquer au nettoyage sous le ronron assourdissant de mon déshydrateur.

Si je n'avais pas jeté un petit coup d'œil vers la maison de mes voisins à cet instant, le reste de la soirée, ou même le reste de ma vie, aurait pu être complètement différent.

J'ai vu ma voisine, en déshabillé, traverser son salon au pas de course, comme si elle était poursuivie. Elle est sortie et a disparu dans la pénombre de son jardin. Puis j'ai vu François, mon mari, qui s'élançait derrière elle et disparaissait à son tour dans l'obscurité. Je suis restée figée. Je n'arrivais pas à interpréter ce que je venais de voir. J'ai tendu l'oreille, mais le vrombissement de ma machine couvrait tout. Au moment où j'ai éteint le déshydrateur, j'ai clairement perçu un cri étouffé.

Comme en transe, j'ai redémarré la machine avant de me faufiler sur le terrain des voisins. J'ai entendu un autre faible cri provenant du jardin. Les lanternes solaires qui éclairaient à peine l'allée menant au fond de la cour m'ont permis d'entrevoir des silhouettes entrelacées au sol. Mon dos me faisait plus mal que jamais, mais j'ai avancé. J'ai saisi au passage un râteau qui était appuyé contre une clôture et me suis approchée silencieusement, prête à faire payer les deux infidèles. Mais les corps bougeaient étrangement et puis j'ai entendu : *Non! Arrête!* François mettait sa main sur la bouche de Nathalie, il lui murmurait : *chut, chut.* Elle se débattait, pleurait. Pétrifiée, je contemplais mon mari comme si je le voyais pour la première fois.

J'ai juste dit *François,* et tout s'est arrêté.

Il s'est retourné et m'a demandé, la voix pâteuse, ce que je faisais là. Je lui ai ordonné de rentrer à la maison. Tout de suite. Il ne m'a pas fait répéter. Il s'est relevé et Nathalie a commencé à reculer vers chez elle en tremblant. François s'est éclipsé. Elle a bégayé qu'elle l'avait aperçu devant sa porte-fenêtre, en train de regarder dans la maison. Elle était allée lui ouvrir, pensant que j'avais peut-être une crise avec mon dos et là, il s'était jeté sur elle. J'ai murmuré *pardon* à Nathalie. Elle a dit qu'elle appellerait la police. Je lui ai dit : *Bien sûr, tu dois le faire.* Puis j'ai tourné les talons et je suis rentrée chez moi.

Dans la cuisine, François m'a demandé avec colère pourquoi il régnait un tel bordel. La douleur me transperçait le dos et irradiait jusque dans mon ventre. Une boule me serrait la gorge et le vrombissement du déshydrateur me donnait mal à la tête. François s'est fâché contre le bruit, se demandant d'où il venait. J'ai débranché la machine. Je ne supporterais pas ce bruit pendant deux jours. Impossible. Et en même temps, je me désolais pour mes fausses tuiles de parmesan. Tant de temps et d'énergie passés là-dessus sans voir le résultat. Quel dommage. Je lui ai lâché : *C'est ton déshydrateur. T'es pas content ? Tu voulais que je sois comme la voisine. Ben c'est ça. Je déshydrate.*

François s'est mis à rire. Comme la fois où je lui avais dit que je songeais à me mettre au pole dancing. Un mélange de rire et de sanglots. Puis il a vomi toute sa frustration. Que je n'avais absolument rien à voir avec la voisine. Que je ne serais jamais comme elle. Sa vie ratée à cause de moi. Le piège dans lequel je l'avais capturé en devenant enceinte de Léa. Mon corps moche qu'il devait regarder tous les jours. Sa bite qui en était devenue complètement molle. Mon insignifiance. Ma banalité. Son besoin d'aventure, de *sex appeal*, de beauté. Et finalement, le plus grand regret de sa vie, que sa progéniture serait gâchée par mon ADN à moi. Quand il regardait Léa, il se résignait : son destin était tout tracé, elle finirait exactement comme moi, en pauvre petite madame même pas laide. Juste minable.

Et c'est là, quand il a parlé de Léa, que la boule que j'avais dans la gorge s'est transformée en cri de rage. J'ai attrapé le premier plateau du déshydrateur et lui ai lancé au visage. La pâte a volé dans tous les sens et il m'a regardée, tout surpris. J'ai tout de suite pris le suivant et je le lui ai fracassé sur la tête. Sa surprise s'est transformée en douleur et il a vacillé. Le troisième, je m'en suis servie comme d'un bâton de baseball, en le tenant à deux mains. Quelque chose s'est alors rompu, et il s'est mis à saigner puis s'est effondré. Incapable de m'arrêter dans mon élan, j'ai utilisé les dix plateaux de manière très créative. Puis j'ai livré ma grande finale : j'ai saisi à deux mains la lourde base de l'appareil, qui contient le moteur et le ventilateur. Et, avec celle-là, j'ai achevé François.

Enfin, je crois, je ne suis pas certaine. Je ne suis pas une spécialiste. Mais comme pour les aliments déshydratés, tu le *sais*, à un moment donné. C'est difficile à expliquer.

Et me voilà assise sur le sol de ma cuisine. La sirène de la voiture de police est de plus en plus forte. Je crois qu'elle s'est arrêtée devant chez Nathalie. Je savoure ce moment de détente et je sais que mon dos est définitivement guéri. À côté de moi, il y a une feuille Téflex renversée. Je la soulève, il reste encore un peu de pâte dedans. Je décide d'y goûter, même si ce n'est pas déshydraté. On frappe à ma porte. Avec mon doigt, j'en mets une petite quantité dans ma bouche. Zut. C'est pas ça pantoute. Ça ne goûte pas du tout comme chez Nathalie.

RAFAËLE GERMAIN

Catherine

Je voudrais vous raconter une histoire. C'est celle, vieille comme le monde, mais toujours recommencée, d'une vie transformée par le désir. Une vie modelée par l'envie impérieuse et enivrante de ce qu'elle n'aurait jamais dû aimer que de loin : la cuisine.

Mon histoire ne se passe pas ici et maintenant, évidemment. Tout le monde aime la cuisine de nos jours, et de très très près. Non, elle se passe il y a fort longtemps, au tout début du XVIIIe siècle et loin d'ici, en France ou peut-être en Italie… Mais avant de commencer, voilà : j'aimerais l'offrir à quelqu'un. Elle ne peut pas être à moi, pour la simple et bonne raison que je ne crois pas être pas qualifiée pour la raconter.

Elle pourrait trouver sa place entre les pages d'un livre, un roman que j'imagine assez ambitieux et où on devrait continuellement faire attention à ne pas trop donner dans la vanille et le sucre glace. Il lui faudrait un auteur avec du souffle et assez de recul pour mener l'histoire à bon port sans la laisser s'enfoncer dans la mièvrerie ou la caricature, et pour savoir la composer comme on compose un festin : avec audace et minutie, avec juste ce qu'il faut de démesure et tout autant de retenue, avec une touche légère et une saine ambition.

Bref, ça me semble être un gros contrat. Peut-être me taperai-je un jour sur les doigts pour ne pas l'avoir écrite, mais pour le moment, je sais une chose : j'aimerais bien la lire. Et encore plus la voir.

Parce que lorsque je joue avec mon histoire, le soir en m'endormant, j'imagine aussi souvent un film, réalisé par quelqu'un pour qui un étal de bois recouvert d'abats luisants et sanguinolents est une promesse d'œuvre d'art et, franchement, frise un peu l'érotisme. Mon genre de personne.

Il faudrait que ça soit beau, et cochon, et assez fort pour que les spectateurs sortent de là avec la conviction que si les grandes passions, qu'elles soient pour la peinture, une femme ou la haute cuisine, peuvent rendre fous, elles peuvent aussi, et surtout, *libérer*.

Mais venons-en aux faits. Tout cela constitue un long préambule, et j'ai peur que ce qui suit ne puisse que décevoir puisque c'est une histoire, somme toute, assez simple : celle de Catherine, la jeune fille d'un riche noble de province, qui tombe amoureuse non pas d'un homme ou d'une femme, mais de la fascinante alchimie qui tous les jours a lieu dans la grande cuisine du château où elle vit. Essayons une courte mise en place.

Depuis qu'elle était toute petite, Catherine avait toujours trouvé le moyen d'échapper à la surveillance de sa gouvernante et aux regards sévères de ses parents (et à celui, moqueur, de son frère ? Je ne suis pas entrée dans les détails, mais Catherine pourrait très bien avoir un frère bourru et attachant qui, sans la comprendre, accepterait et faciliterait sa passion) pour courir dans la grande cuisine, où il y avait toujours eu plus d'action qu'ailleurs et où, l'hiver, il faisait invariablement bon et chaud.

Un jour, alors qu'elle avait tout juste douze ans, elle observa le cuisinier ouvrir une grosse caisse de bois, se pencher sur le contenu et se mettre à pester vertement. Aidée par un des marmitons qui l'avaient pris sous son aile, Catherine se pencha à son tour au-dessus de la boîte. Sur un lit de mousse séchée, des dizaines des fruits d'un beau rose orangé, enveloppés individuellement dans des feuilles de vigne, dégageaient une forte odeur rappelant celle du vin qu'on servait à table.

« Fait trop chaud, a expliqué le marmiton. Elles ont commencé à tourner. C'est-tu pas une misère, des Tétons de Vénus qu'on fait livrer depuis Versailles ».

Le cuisinier, qui avait prévu inclure ces précieuses pêches dans une de ses pyramides de fruits frais qu'on admirait dans toute la région, pesta une dernière fois, puis demanda qu'on envoie la caisse au confiturier sur un ton qui ne laissait pas de doute : un fruit envoyé au confiturier ne valait pas beaucoup plus que les pelures de pommes de terre qu'on jetait aux cochons.

Catherine, qui avait toujours eu un faible pour les mal-aimés, suivit la caisse de pêches en se promettant de raconter à son frère qu'elle avait passé une partie de la matinée à courir après des Tétons de Vénus. Le confiturier, après avoir observé le contenu de la caisse d'un air navré, lui offrit la seule qui n'était pas encore trop faite, puis ordonna à une fillette un peu plus jeune que Catherine d'enlever les noyaux des autres.

La fillette travaillait vite, et moins d'une demi-heure après, la chair trop mûre des pêches, à laquelle le confiturier avait ajouté une impressionnante quantité de sucre et les nombreuses épices qui plaisaient encore aux palais à cette époque, mijotait sur un bon feu. Dans la grande salle, le cuisinier hurlait des ordres, les marmitons couraient dans tous les sens, des paysans arrivaient les bras chargés de sacs de grains et de jattes de lait frais pour repartir avec quelques sous et une outre de vin, des feux crépitaient et le bruit constant d'un hachoir frappé régulièrement sur le bois se faisait entendre. Et toute cette effervescence était rythmée et ordonnée comme un ballet qui fascinait et enchantait Catherine. Elle se tassa dans un petit coin et, comme elle le faisait souvent, observa.

«Tention!», cria finalement quelqu'un – Catherine eut tout juste le temps d'éviter un énorme panier débordant de tripaille sous lequel s'échinait un adolescent dégingandé. «Ta gouvernante te cherche!», lui lança une bonne qui venait tout juste d'entrer, les bras chargés d'une énorme touffe d'angélique. «Va!» Catherine partit, traversant un nuage de vapeur, puis un autre d'une fumée qui fleurait bon le caramel et la viande rôtie, puis un dernier, composé principalement des plumes d'une oie qui allait être préparée pour le repas du soir.

Elle allait quitter la cuisine lorsqu'elle fut arrêtée par une odeur exquise, à la fois sucrée et acidulée, qui émanait de l'antre du confiturier. Pointant le bout du nez par l'étroite ouverture de la porte, elle fut reçue par une cuiller remplie d'un épais liquide couleur ambre qui la fit d'abord reculer.

«Goûte!, dit le confiturier.

— Elles sont pourries!

— Goûte!»

Et elle goûta. La confiture était onctueuse, beaucoup plus sucrée que la chair de la pêche qu'elle avait mangée crue, et sa saveur semblait se décliner en couches et en étages, comme si le fruit avait été déconstruit et chacune de ses parts glorifiée et optimisée jusqu'à en être presque exagérée. Et tout autour dansaient la cannelle, la muscade et le girofle, telles des fées venues saupoudrer le fruit renouvelé de leurs bonnes attentions. Catherine était transfigurée.

«C'est les pêches de tout à l'heure?

— Mais comment tu pensais que les confitures étaient faites?».

C'était une très bonne question. Si Catherine s'était toujours plu dans la grande cuisine, c'était parce qu'elle aimait observer la danse des marmitons et les lourdes carcasses se transformer sous les coups de bouchers en délicates pièces de viande, mais elle n'avait jamais pensé à la confection des confitures. Elle n'avait jamais pensé qu'il y avait là, comme dans plusieurs préparations qui se faisaient dans la cuisine, une opération presque magique, un acte d'alchimie qui pouvait parfaitement rivaliser avec la pierre philosophale. Le confiturier avait transformé une caisse de Tétons de Vénus trop mûres en une symphonie.

Elle entendit la voix de sa gouvernante. Elle lécha rapidement ce qui restait sur la cuiller, sourit au confiturier et partit en courant en emportant avec elle une conviction qui l'étourdissait et la désorientait par son audace : elle allait devenir cuisinière.

Voilà. Le projet de Catherine, évidemment, est peu réaliste. Les jeunes aristocrates du début du XVIIIe siècle ne pouvaient pas plus devenir cuisinières qu'elles pouvaient se transformer en oiseaux, mais c'est là que l'histoire m'intéresse. *Shakespeare in Love* en tablier. Il y aurait des rebondissements, des travestissements, maintes épreuves et, j'espère bien malgré ma méfiance envers l'abus de vanille et de sucre glace, un triomphe aigre-doux vers la fin. On ne suit pas sa passion, surtout à cette époque, sans laisser quelques petites choses derrière soi.

Il y aurait aussi, dans ce film que j'imagine, de formidables images. Il faudrait tomber amoureux de la cuisine en même temps que Catherine. Voir la grande pièce avec ses larges comptoirs, l'âtre immense et bienveillant où rôtissent des bêtes entières et où d'énormes marmites luisantes attendent soupes et potages. Et la lumière ! La lumière est d'une importance capitale. En éclairant ces choses mortes, viandes et végétaux, elle révélerait leur vie cachée et à venir et les rendrait infiniment désirables, leur beauté crue et sauvage laissant entrevoir la succulence domestiquée de la chair cuite.

Tout cela, la quête de Catherine comme les gros plans sur des coquilles d'huîtres au fond desquelles quelques gouttes d'eau iodée évoquent la joie de ceux qui viennent tout juste de manger les mollusques, serait un hommage au pouvoir libérateur de la grande comme de la petite cuisine. Aux mains grasses qui sentent perpétuellement l'ail et aux narines toujours curieuses, aux papilles qui ne demandent rien de moins que de jouir trois fois par jour.

C'est une histoire, bref, qui reste à construire, à mettre en chair. Elle attend celle ou celui qui en voudra, entre les pièces de venaison qui faisandent, les tresses d'ail et les jambons mis à sécher, près des bocaux de confitures de Tétons de Vénus.

PATRICE GODIN

*La faim irrationnelle et hallucinante du coureur
et de la bête sauvage qui sommeille en lui*

Ce récit s'inspire du Bigfoot 200 Mile. Une course de plus de 300 kilomètres autour du mont Saint Helens et dans la chaîne des montagnes Cascades, dans l'État de Washington. Quatorze stations d'aide sont disséminées le long du parcours pour permettre aux participants de se restaurer, se reposer et reprendre des forces. Cependant, l'idée générale est de ne pas s'arrêter, du moins le moins longtemps possible, de poursuivre coûte que coûte et de compléter l'épreuve en un temps limite de 105 heures. Fatigue extrême, faim et hallucinations sont au menu.

La peur. Tu t'en souviens. Celle du noir. Les monstres qui tétanisaient ton enfance. Ceux qui te réveillaient la nuit, dans l'obscurité de ta chambre. Tu les sentais presque t'effleurer. Ils étaient vampires, loups-garous, créature de Frankenstein. Les autres, ceux sortis en hurlant de ton inconscient de petit bonhomme. Cela t'effrayait, te troublait et te fascinait à la fois.

C'est chose du passé. Cela te semble absurde à présent. N'est-ce pas? Il y a des années que tu n'as plus peur du noir, que les monstres de l'imaginaire ne t'effrayent plus.

Pourtant, un frisson hérisse un court instant ton échine. La fatigue peut-être. Ou cette peur enfantine qui remonte à la surface, te rend visite. Sensation bizarre.

La nuit est là devant toi. Ainsi qu'une peur diffuse. Tu dois la vaincre maintenant. Tu n'as pas le choix, tu le sais. Il faut avancer, foncer. C'est la règle du jeu. Il s'agit bien d'une course, non ? Oui, c'en est une. Et c'est un jeu, pas vrai ? Alors tu dois vaincre à la base et dès leur naissance tes craintes, tes doutes, tes angoisses.

Dylan Thomas dirait que tu n'entreras pas sans violence dans cette bonne nuit. Mais il ne s'agit pas de la mort ici. Tu ne vas pas mourir. Tu vas vivre plutôt. C'est la vie qui t'attire, ce n'est pas la mort. La vie libre et sauvage qui te permet de fuir aux grands vents les affres de la routine et du quotidien.

La nuit est là et tu lui fais face. Après une longue, profonde inspiration, tu quittes la station d'aide – un havre de paix si l'on peut dire – où tu viens de te reposer, où tu as repris un semblant de force. Tu as tenté de manger. La faim y était. Pas l'appétit. Cela paraît étrange et pourtant non, ce ne l'est pas. Tu as avalé un bouillon de poulet, gobé d'un seul coup le monticule de nouilles synthétiques trop cuites au fond du bol. Tu as bu un café juste assez chaud, tu l'as descendu cul sec pour t'aider à garder les yeux ouverts. D'autres coureurs sont repartis avant toi. Combien ? Tu ne saurais le dire. Tu vis dans une sorte de brouillard pour le moment. D'autres sont arrivés après toi, boursouflés de fatigue, désorientés. Certains profitaient déjà des tentes et des matelas de sol pour dormir un peu. Tu as essayé de dormir toi aussi. En vain. Après plus de 36 heures en mouvement, ton corps, tous tes muscles hurlaient, refusaient le repos. Autant se remettre en marche. En course.

Mais la faim. Merde.

Tu as changé de chandail en silence – l'autre étant trempé de sueur, sale des 185 kilomètres parcourus jusqu'à présent – devant le feu de camp. Cette course est une folie, as-tu pensé, sans toutefois y croire. Une folie ? Et alors ? Tu souriais en grelottant. Tu es demeuré immobile, fasciné par la chaleur des flammes, par leur danse agitée. Tu as aperçu des lézards multicolores traverser le feu, exécutant avec allégresse un french-cancan digne des Folies Bergère. Tu as ri, puis, un court instant, la cervelle gélifiée, tu as senti la peur revenir, ramper en toi, une putain sournoise qui aurait voulu te prendre par les couilles. Tu as secoué la tête. La peur ne t'empêchera pas d'atteindre ton but, d'accomplir la mission que tu t'es donnée, celle de franchir ces 334 kilomètres à la course à pied. Tu as repris tes sens, tu as remis ton esprit dans la bonne direction, sur la bonne voie.

Il te faut poursuivre. Avancer. Sans plus attendre.

Fin prêt – autant que cela puisse être possible dans l'état actuel des choses –, tu as repris la route sous le faisceau de ta lampe frontale, tu as repris le sentier en pente douce qui descend vers la rivière, tu as suivi les indications et en bas, tu as bifurqué à gauche. À nouveau seul, tu t'es enfoncé dans la dense forêt de la côte Ouest américaine.

L'angoisse réapparaît, une seconde, un éclair vif, argenté, un électrochoc dans ton système nerveux. Devant toi, l'immensité de la nuit, ses ombres gigantesques, menaçantes, et un seul chemin possible, étroit, rocailleux, à travers les fougères.

Il ne faut penser ni à l'avant ou à l'après, ni à l'avant ou à l'arrière, mais seulement à la liberté du point central.

Tu as noté ces mots dans ton carnet la veille du départ, ces mots d'un maître bouddhiste – Taisen Deshimaru. Ils te reviennent en tête. Ils sont une lumière qui illumine ton chemin, un murmure.

La peur n'a pas de raison d'être. Ou alors, elle doit te relancer. Mais là, elle n'a aucune raison d'être. La peur que tu peux ressentir n'est qu'une illusion. Une mauvaise plaisanterie.

— *Fuck it !*

C'est ce que tu lances à voix haute avant de foncer pour de bon, résolu, attaquant une pente de 800 mètres plutôt abrupte à travers ronces et racines avec un cœur nouveau.

:: :

Tu as dompté la peur. Mais pas la faim. Ton ventre crie. Tu as bien une barre énergétique dans ton sac, des fruits séchés, la moitié d'un sandwich houmous et avocat enveloppé dans du papier alu, mais l'idée même de manger te déplaît. As-tu seulement le choix? Tu prends la barre, la déballes, en croques un morceau que tu mastiques avec difficulté sans même t'arrêter. Tu le fais passer avec une gorgée d'eau. Tu dois faire gaffe à l'eau. Surveiller ta provision. Rationner tes gourdes. Tu pourras les remplir dans un ruisseau d'eau fraîche plus loin, mais il n'y a pas de risque à courir. Il ne faut pas épuiser les réserves. Si la faim te tenaille, manquer d'eau au beau milieu de nulle part est la dernière chose que tu souhaites. Et soudain, tu penses à une bière fraîche. Des éclats de verre scintillent sur le sol, à travers les branches, les feuilles mortes et les herbes piétinées, éclats magnifiés par le faisceau de ta lampe, pareils à des pépites d'or ou des diamants.

Tu penses : Ils ont de sacrées bonnes IPA ici sur la côte Ouest, dans l'État de Washington et en Oregon.

Tu en as presque l'eau à la bouche, tu en as presque mal au ventre. Une bière serait bonne. Tu en rêves soudain. Tu en pleures. Cette soif tout à coup.

Tu gémis : Arrrrrgh! Arrrrrgh! Arrrrrgh!

On dirait un corbeau échevelé qui s'étouffe.

Au diable la soif, la bière et les IPA. Tu poursuis la course la tête basse, le ventre creux, la gorge semblable à une vieille carte au trésor. Tu accélères le pas.

: :

La forêt. La forêt parle, elle susurre dans la nuit. Elle chante en sourdine. Tu entends les sons, les voix, la musique qu'elle fait. Tu sens cette musique sur ta peau moite, tu la vois danser devant tes yeux en notes évanescentes. C'est un chant lancinant qui plane à travers les feuilles des arbres. Ce n'est pas le vent, ce que l'on pourrait croire de prime abord. Il n'y a pas de vent, pas dans cette nuit. Pas la moindre brise. La nuit est moite et sans vent, la forêt chante, elle te parle en musique, magique et mystique.

Ton nom. Tu entends ton nom, tout bas. Ce n'est pas inquiétant, c'est comme un souffle. Tu ne sursautes pas, tu as franchi ce stade depuis longtemps. Certains hurleraient, mais toi, tu te retournes, croyant voir un autre coureur s'approcher. Rien. Il n'y a rien. Qu'un sentier vide, un long couloir obscur derrière toi. Personne. Pas une âme. Ou alors, elles sont un millier d'âmes qui errent tout autour. Comment les voir?

Les feuillages frémissent. Tu entends de petits rires. Ça y est. Des trolls. Il doit y avoir des trolls dans le coin. Voilà tout. Ou des lutins sauvages. Qui aurait peur des lutins? Pas toi. Non. Pourvu qu'ils ne soient pas cannibales. C'est ce que tu penses. Le plus sérieusement du monde. Ouste, les trolls et les lutins. Tu les chasses de ton esprit.

La forêt murmure maintenant de délicats chants de gorge amérindiens, enivrants et mystérieux, symphoniques dans cette nature primitive. Irréels. Tu souris. Y aurait-il des sirènes en montagnes comme à la mer? Serais-tu un Ulysse des bois? Où sont Ithaque et ta belle Pénélope?

Tu souris, tu secoues la tête, tu salues un Grand Chef appuyé contre un arbre, au loin. En t'approchant, tu constates qu'il n'y a personne, qu'un arbre brisé, cassé en deux et pourrissant, vieux de mille ans, recouvert de mousse et de fougères.

Tu éclates de rire.

La forêt, les montagnes, le ciel et les étoiles t'applaudissent.

Tu te demandes ce qu'ils ont foutu dans le bouillon de poulet, là-bas, à la station d'aide. Ce sont peut-être les nouilles.

::

— Comment tu te sens ?

La voix cette fois résonne de façon claire dans ton dos. Elle est rauque, caverneuse. Profonde. C'est une onde de choc, c'est comme si la terre se mettait à trembler.

Les buissons sur ta gauche. Des buissons denses et touffus d'où émergent de vieilles branches mortes, décharnées, menaçantes, des bras de sorcières tendus vers toi dans la nuit. Ces buissons semblent vivants.

Cette fois, un véritable frisson te parcourt. Une peur que tu n'as encore jamais ressentie jusqu'à présent. Les poils de tes bras, de tes jambes, les poils sur ta nuque se dressent, se raidissent. Cette frayeur soudaine qui monte en toi est un geyser bouillant, tu sens une sorte de puissance t'envahir, à moins que ce ne soit le début d'une paralysie mortelle. Le début de la fin. Cette frayeur qui te brûle, te consume, tu choisis de l'accepter et de lui accorder trois secondes. Pas une de plus. Que tu comptes à haute voix.

Une.

Deux.

Trois.

Et tu la repousses. Cette chiennerie de peur, tu lui balances un coup de pied au cul. Tu dois être féroce en toi-même. Tu n'es pas un trouillard. Même si tu trembles. De tous tes membres.

Tu jettes un rapide coup d'œil par-dessus ton épaule. La Bête est là, colossale et poilue, elle te surplombe, elle te suit de près, ses gros bras ballants, des troncs d'arbres.

À sa vue, tu demeures un instant interdit. Puis tu ricanes en secouant la tête. Cette course, oui. Peut-être est-ce de la folie, du délire.

: :

— Alors, comment te sens-tu ? demande à nouveau la Bête.

— Bien, tu réponds, la voix rêche. Étrangement bien. Un peu groggy. Globalement bien.

— C'est bon ça.

— Ouais… Dis-moi, ça fait longtemps que tu es là ?

— Hmm. Depuis le début, je dirais. Je te suis depuis le début. Je ne te quitte jamais.

— Sérieux ?

— Oui. Tu crois que je te mentirais ?

— J'en sais rien. Pourquoi pas ?

— En effet, pourquoi pas. Mais crois-moi sur parole. Je ne te mens pas.

Tu hoches la tête. En effet, pourquoi la Bête te mentirait-elle, au fond ? Il n'y a aucune raison. Tu n'en vois aucune. Tu as beau te casser la tête là-dessus, c'est peine perdue. D'ailleurs, cette Bête, qui est-elle ? D'où vient-elle ? Ces questions te taraudent l'esprit. Tu lèves les yeux vers la cime des arbres, comme si la réponse était inscrite tout là-haut. Ici, même l'immensité paraît gigantesque. Ce que tu penses n'a aucun sens. Et tu vois qu'il y a ce vieux bateau, suspendu à travers les branches et les feuillages.

— Hé, tu fais à la Bête, tu vois le bateau suspendu là-haut ? Qui a grimpé ça là ?

Tu pointes du doigt l'endroit exact. La Bête regarde dans cette direction. Elle sourit :

— Il n'y a pas de bateau.

— Bien sûr qu'il y en a un. Là !

Tu insistes.

— Non, dit la Bête. Tu rêves, mon vieux.

Fuck. Fuck. Fuck. Tes pensées déraillent.

— Quoi ? demande maintenant la Bête.

— Merde. Je suis fatigué. Et j'ai faim.

Deux ans plus tôt, tu as aperçu une magnifique pianiste rousse qui donnait un concerto dans les montagnes, en robe blanche, lors d'une célèbre course européenne. Cette pianiste et aussi des toiles impressionnistes/expressionnistes sur les parois rocheuses. Mélange de Van Gogh et Otto Dix. Un choc à ce moment. Encore là, c'était la nuit. Tu ne comprenais pas qu'on puisse accrocher là ces œuvres d'art, dans les sentiers, au beau milieu des forêts et des montagnes, avec toute cette boue et cette poussière et les risques d'averses. Naturellement, il n'y avait d'art que dans ton cerveau délaminé. Tu ne t'étonnes donc de rien. Ce bateau était peut-être dans les arbres pour vrai. Ou pas. Ton cerveau ne cherche plus à comprendre maintenant. Un petit rigolo s'amuse à jouer avec les connexions neuronales. Vrai et faux se font un face-à-face dans un match de ping-pong abstrait.

La faim…

Tu déballes le demi-sandwich au houmous que tu gardais dans ta veste de course. Tu l'avales en un morceau, ce qui calme ton estomac une poignée de secondes. La Bête pose sur toi un regard bienveillant.

— Ça va mieux ? elle demande.

— Non, tu réponds, pas vraiment.

Il y a ce ruisseau qui serpente dans la montagne. Tu entends sa présence bien avant de l'apercevoir. Une passerelle de fortune a été aménagée pour pouvoir traverser sans se mouiller les pieds. Tu t'y arrêtes. Il est temps de faire le plein. Tu t'accroupis au bord pour remplir tes gourdes. Des grenouilles, effrayées par la violente lumière de ta lampe frontale, se sauvent à travers les roches couvertes de mousse verte. La Bête en attrape une qu'elle gobe comme un jujube. Elle en prend une autre et te la tend :

— Tu veux celle-là ?

Tu déglutis non sans difficulté, ton demi-sandwich au houmous remonte presque. Tu refuses poliment :

— Je te remercie. J'essaie d'arrêter.

La Bête hausse les épaules. La seconde grenouille disparaît dans sa bouche. Tu entends son cri. Tu entends le CRUNCH !

CRUNCH! que font ses petits os broyés l'un après l'autre. La Bête te sourit :

— Ne fais pas cette tête, elle dit. C'est bourré de vitamines et de protéines, ces bestioles. Et puis, comment crois-tu que je me nourris ? Tu me vois faire l'épicerie ? M'arrêter dans un *fast-food* ? Il faut survivre, pas vrai ? C'est dans la nature des choses. Il faut vivre, il faut survivre. Espérer être parmi les plus forts, espérer s'en sortir vivant. Tu n'es pas d'accord ?

Pour être franc, tu ne sais plus. C'est une course d'endurance extrême, certes. Ce n'est pas une épreuve de survie. Oui, bien sûr, il faut survivre. Il n'est surtout pas question de se laisser aller. Ni de mourir. Survivre… Mais manger des grenouilles vivantes, vraiment ? De drôles de trucs te passent par la tête. Pourrais-tu, le cas échéant – face à une réelle question de vie ou de mort – bouffer une grenouille crue ? Du serpent ? Boire ton urine comme dans le film *127 heures* ? Pourrais-tu te griller une brochette d'écureuils en te servant du feu béni de la foudre ?

— Ah ça! déclare la Bête, joyeuse, comme si elle lisait dans tes pensées. Quand j'ai la chance d'avoir du feu, les brochettes d'écureuils, c'est mon péché mignon! Je m'en enfile un paquet!

À nouveau, tu éclates de rire, cette fois, un rire tonitruant, qui pourrait bien être celui de Gargantua lui-même, et l'écho de la forêt l'amplifie à l'infini. Des lucioles dansent devant tes yeux. Ou serait-ce des fées Clochette ? Tu repenses aux lézards que tu as aperçus près du feu à la station d'aide. Tu demandes à la Bête si elle mange aussi des lézards. Non. Trop amers, elle te répond.

La nuit te paraît maintenant sans fin. Tu reprends ton chemin au pas de course et la Bête te suit, faisant trembler le sol sous ses pieds. Tu accélères, elle accélère. Tu ralentis, elle ralentit. Elle est ton ombre monumentale et poilue, elle porte en elle une odeur de cheval sauvage et d'écurie.

Au détour d'un sentier, il y a ce mur, comme une offrande violente et impardonnable, qui se dresse devant toi, une terrifiante ascension. C'est à peine s'il te reste des forces. Mais voilà, peut-être que tout là-haut, tu assisteras à la naissance d'un jour nouveau, et qu'à la lumière dorée de l'aube, tes forces te reviendront, qu'elles renaîtront des cendres de tes muscles brûlés et de ta volonté poussiéreuse.

La Bête et toi entreprenez cette pente cruelle et bossue d'un pas courageux, convaincu, d'une cadence vive et implacable malgré la fatigue. C'est étrange, car tu te sens léger, tout-puissant, invincible, alors qu'une seconde plus tôt, tu craignais la mort. Tu cours comme tu ne l'as pas fait depuis longtemps, depuis les premières heures de la course, presque un sprint, ce qui est idiot, tu le sais, seulement tu ne peux t'en empêcher. Et voilà qu'à la mi-pente, à bout de souffle, boucanant, ton corps luisant d'une sueur infernale, tu vacilles comme un homme soûl, ivre mort, tu tangues comme un ivrogne des bas-fonds. Les genoux te manquent, fléchissent malgré tes imprécations, la Bête te regarde faire sans un mot, tu t'accroches aux arbres, tu te relances sans cesse vers l'avant, mais c'est comme si le sentier s'étirait, s'allongeait devant toi, tu as l'impression de faire du surplace, ton équilibre est à chier et, bientôt, tu t'écroules, prostré, le front contre la terre et les roches, tes mains agrippées aux racines, tes jambes, inefficaces, paralysées, pleines de spasmes, crevées de douleurs.

Tu fermes les yeux. C'est tout ce qu'il te reste de force, fermer les yeux. Tu vois sous tes paupières un kaléidoscope d'images brouillées. Puis débute le générique d'ouverture d'un vieux James Bond, *Live and Let Die,* ce film que tu as vu au cinéma avec ton père quand tu étais gamin. Maintenant, il joue dans ta tête décalée, déréglée. Ce générique et sa musique défilent sans raison apparente, une jolie fille danse en ombres psychédéliques avec des grenouilles qui sautent de gauche à droite, de droite à gauche, en tutu et haut-de-forme. Des alligators en robe de chambre viennent se joindre à elles. Le squelette de Roger Moore passe en bicyclette et il t'envoie la main. De l'autre, il joue du Walther PPK.

Les balles ricochent autour de toi, des éclats de roche se mêlent dans tes cheveux. Bientôt la Bête s'avance, elle chasse Mister Bond d'un rugissement et elle attrape les alligators par la queue pour les avaler l'un après l'autre comme des hors-d'œuvre. Tu sens une faim irrationnelle gronder en toi, un monstre de faim. Tu penses à d'immenses et juteuses côtes de bœuf, tu penses à toutes ces volailles en liberté que tu pourrais rôtir à la broche, à des fruits de mer, homards et calmars en pyramide sur une île grecque, et des pâtes – oh! des pâtes que tu boufferais en Toscane et des pizzas à Rome! –, et tu vois des montagnes de légumes grillés qui t'appellent, le sang bat à tes tempes, le vin coule à flots, pinot noir, Brunello di Montalcino, c'est la fin du monde, il te vient une odeur de saucisse fumée, mais si ça se trouve, c'est ton cerveau en train de cramer, pauvre abruti.

::

Tu te sens léviter, transporté dans les airs par la peau du cou. Il n'y a plus rien maintenant. Tu ne ressens plus rien. Ni faim, ni soif, ni peur, ni douleur. Rien. C'est donc cela, mourir? Faudrait voir.

::

Comment tu t'es rendu là-haut, tu n'en as aucune idée. Tu y es, c'est tout. Du sommet, tu aperçois le chemin qui serpente en douce jusqu'en bas où tu distingues la fumée grise d'un feu de camp qui monte vers le ciel. Moins d'un kilomètre avant la prochaine station d'aide.

Tu n'es pas mort. Pas encore. En voilà, une chance.

Les premières lueurs de l'aube t'accueillent et la Bête t'observe en souriant.

— Prêt à repartir? elle te demande.

Est-ce elle qui t'a grimpé?

La lumière du jour, encore faible, te fait signe : avance, avance. Une invitation à poursuivre la course sans hésiter.

— Oui. Je suis prêt. Merci.

— Pourquoi ?

— Pour rien. Pour tout.

— Arrête de déconner.

D'accord. Voilà. C'est la seule réponse possible. Arrêter de déconner. Et continuer. Avancer. Avancer.

Des nains de jardin, en rangées de chaque côté du sentier, te font la révérence lorsque tu t'éloignes. Il ne manque que Blanche-Neige.

Un dernier coup d'œil. Derrière toi, la Bête peu à peu s'efface dans la blancheur du matin.

Tu éteins ta lampe frontale. Moins d'un kilomètre avant la station d'aide. Où tu pourras te reposer un instant. Tu jogges quelques mètres pour dénouer les tensions dans tes jambes, puis tu files.

: :

Le chef de l'équipe médicale de la station t'apprend que tu es dans le peloton de tête. Huitième, ce qui, de loin, est mieux que tu ne l'aurais jamais espéré.

— *Did you see bears and wolves during the night ?* il demande en rigolant. *One of the front runners was crazy about them chasing him. He was for sure going fast !*

Tu secoues la tête en changeant tes bas. L'odeur de tes pieds est en tous points semblable à l'odeur de la Bête.

— *No,* tu dis. *I just saw a boat up there in the trees. Nothing, really. Hallucinations, that's it.*

— *Well, the guy just before you saw that boat too…*

Tu ricanes.

— *Yeah, sure.*

Plus rien ne te surprend.

Avant de repartir, une jeune bénévole te prépare un roulé aux œufs brouillés, bacon et guacamole. Tu salives comme un fou. Quand elle te le tend, tu jurerais voir une patte de grenouille dépasser par le haut, emmêlée dans les œufs et les cubes d'avocat. Qu'à cela ne tienne. La route est encore longue. Tu devrais finir dans une journée et demie, un peu moins si tu t'actives. Allez. Tu mords à pleines dents dans ton petit déjeuner. Ça fait CRUNCH! CRUNCH! C'est peut-être le bacon. Va savoir.

ANNIE L'ITALIEN

Le dernier

— Mon doux, vous arrivez tous en même temps ! Entrez, entrez !

Ils sont tous là, nos deux enfants, la conjointe de notre fils et nos deux petits-enfants. Je dis « tous là » comme si une foule était à ma porte, sans doute parce que j'aurais aimé avoir une famille plus nombreuse. Mais pour Bernard, il était hors de question d'avoir plus de deux enfants. Je lui en ai voulu longtemps, croyant que c'était par égoïsme. Avec le recul, je miserais davantage sur sa peur de ruiner plus de vies. Ça l'inquiétait, mon mari, de transmettre ses « bibittes » à sa progéniture. De toute façon, à voir les adultes qu'ils sont devenus, c'est sans doute une bonne chose.

— Comment vas-tu, maman ? demande Marie avec une sollicitude inhabituelle.

— Ça va, ça va. J'ai commencé à faire un ménage de garde-robe, je vais avoir tout un lot de sacs à donner.

— Ben voyons, t'es pas obligée de faire ça maintenant ! Laisse au corps le temps de refroidir ! intervient Marc-Antoine avec un soupçon de raideur.

— Désolée, je ne voulais pas vous choquer, j'ai juste besoin de me tenir occupée.

Et je fonds en larmes, pour la vingtième fois aujourd'hui, sans doute la centième depuis hier matin lorsque j'ai trouvé Bernard sans vie dans ce que nous appelions communément son « bureau », qui servait également de bibliothèque, de chambre d'amis (en théorie, du moins) et de refuge pour quiconque souhaitait s'isoler. Situé au-dessus du garage, le bureau n'était accessible que par une porte extérieure. Le corps de Bernard était déjà froid lorsque je l'ai découvert. J'ai pris un moment pour déposer le café que je lui apportais et pour lui donner un doux baiser sur la joue avant d'appeler le 911. Le temps que les policiers arrivent, j'avais réussi à parcourir dix fois sa courte lettre d'adieu. Il aurait au moins pu l'écrire à la main ! Il souhaitait sans doute s'assurer que les enfants pourraient eux aussi la lire, puisque j'étais la seule personne au monde capable de déchiffrer ses pattes de mouche.

J'ai décidé de battre le cancer à son propre jeu. Je ne voulais pas que vous me voyiez souffrir. Les papiers sont en ordre, dans le premier tiroir du classeur. Le frigo du garage est plein, prenez une bouchée à ma santé (ou plutôt à celle que je n'avais plus).

Une fois que son corps a été emporté, je suis descendue au garage et j'ai ouvert le frigo. C'est là que j'ai versé mes premières larmes. Macaroni au fromage, canard laqué, aubergines parmesan, foies de volaille au cognac, gâteau aux carottes, sandwich beurre d'arachide et confiture de fraises. Tout y était. J'ai appelé les enfants.

::

C'est avec la nourriture que Bernard m'a séduite. Et pas dans le sens propret du terme. Fraîchement débarquée à Montréal après avoir grandi en région, je n'y connaissais personne à part une cousine éloignée. Elle m'a amenée dans un petit bistro français où elle travaillait comme serveuse. Lorsque le chef m'a aperçue, il m'a attrapée par le bras, m'a fait entrer dans la cuisine, asseoir sur un tabouret et m'a simplement dit « j'ai besoin d'un cobaye ».

— Pourquoi moi ? Je ne connais rien à la cuisine !

— Justement. T'as l'air de débarquer de Saint-Plouc-des-Meumeus avec ton chemisier d'habitante et ta coiffure démodée, et le propriétaire du restaurant a décidé qu'il fallait que je cuisine pour « madame Tout-le-Monde ». C'est toi ça.

Trop gênée et abasourdie pour être offusquée, je n'ai pas protesté. Mes parents m'ont appris qu'il ne faut jamais parler aux étrangers et qu'il est impoli de donner une opinion non sollicitée sur l'apparence de quelqu'un. Ce monsieur venait de transgresser d'un coup deux règles fondamentales du savoir-vivre. Et il m'avait touchée en plus. Très excitant tout ça.

Le premier plat, il l'a pratiquement lancé sur le comptoir à côté de moi, attendant les bras croisés que je goûte une biscotte recouverte de… de quoi au juste ? Le regard baveux du chef me mettant au défi, je n'allais pas le décevoir. J'ai courageusement englouti une bouchée de cette chose, molle, grasse et… oh mon Dieu. Quel délice ! Je n'ai pas pu cacher complètement mon ravissement, ce qui a arraché un sourire en coin à mon tortionnaire culinaire. « Foie gras », a-t-il précisé. « Pas mal », ai-je rétorqué. Le ton était donné : il testerait mon courage en même temps que ses recettes, alors que j'allais tout faire pour ne pas flancher, et surtout, pour ne pas lui montrer mon appréciation trop ouvertement. Hors de question de donner satisfaction à son ego si facilement.

Bisque de homard. Confit de canard. Au quatrième plat, un linguini crémeux aux fruits de mer, j'ai vu que le regard de l'homme avait changé. De baveux, il était progressivement devenu curieux, interrogateur, intéressé. Il n'en fallait pas plus pour augmenter mon rythme cardiaque et la rougeur de mes joues. Ce qu'il a remarqué, évidemment. De dégustation en dégustation, il venait toujours un peu plus près de moi. Tartare de saumon. Huîtres Rockefeller. Au septième plat, un risotto aux champignons, il a placé le bol à proximité de mon visage pour me permettre de humer l'huile de truffe, puis a plongé lui-même la fourchette dans le riz onctueux pour ensuite l'approcher de ma bouche. « Je m'appelle Bernard », a-t-il dit avec un sourire enjôleur. « Jeanne », ai-je répliqué. En disant mon prénom, j'ai eu l'impression de soudainement devenir une femme.

Je ne sais pas combien de temps je suis restée dans cette cuisine, je sais seulement qu'il n'y avait plus personne dans le restaurant lorsque Bernard s'est approché avec une cuillerée de mousse au chocolat noir, l'a déposée dans sa propre bouche, et l'a transmise directement dans la mienne. En cet instant, j'ai perdu mes moyens, mes bonnes manières, et, quelques minutes plus tard, ma virginité.

— Grand-maman? Grand-maman? T'es dans la lune!

— Oui ma Mia, je suis un peu distraite, désolée.

— Quand est-ce qu'on mange?

— Bientôt ma belle. Il faut juste me donner le temps de mettre la table.

Je m'affaire quelques instants dans la salle à manger, tout en observant ma famille à la dérobée. Mia et son cousin Bastien jouent sur leurs tablettes pendant que les trois adultes consultent négligemment leurs téléphones. J'entends souvent les gens se plaindre que les cellulaires prennent trop de place et empêchent les conversations; pour mes enfants, ils remplacent simplement les longs silences et les soupirs d'emmerdement lorsqu'ils doivent venir à la maison. Au moins, avec ça dans les mains, ils ont presque l'air d'être présents.

— Maman, vas-tu finir par faire installer le Wi-Fi maintenant que Bernard n'est plus là pour s'y opposer en grognant? questionne Marc-Antoine.

— Marco, franchement…, le sermonne gentiment Sonia, sa conjointe.

Je ne me suis jamais habituée à entendre mon fils appeler son père « Bernard », une façon bien peu subtile de marquer la distance qui séparait les deux hommes. Marie, elle, avait toujours continué d'utiliser « papa », mais elle n'était pas pour autant proche de lui et ne se gênait pas pour le critiquer ouvertement. Après la lecture d'un livre de psycho pop, notre fille s'était mise à l'appeler « Bernard-l'hermite-des-émotions ». Contrairement à ce que Marie avait souhaité, ce surnom avait fait sourire son père, qui s'était empressé de rétorquer « au moins moi, je ne les mange pas, mes émotions ». Classique Bernard, toujours prêt à contre-attaquer en visant là où ça fait le plus mal.

Il avait d'ailleurs réussi à se mettre à dos ma famille, nos amis et nos voisins. J'avais beau essayer de compenser sa franchise brutale en multipliant les gentillesses et les excuses, il était allé beaucoup trop loin pour que je puisse sauver ces relations que Bernard avait, volontairement ou non, sabotées à coups d'insultes peu subtiles. Il avait surnommé le voisin d'en face « enfoiré de mes deux », celui de derrière « gros naze en chef », celle de droite « connasse de moufette » et ne s'était pas gêné pour le leur dire à l'occasion d'une fête de quartier. Il avait fait le même coup à ma famille lors d'un souper de Noël, un véritable abat de bowling ; ils étaient tous tombés sous le choc de ses injures à quelques secondes d'intervalle et n'avaient plus jamais remis les pieds chez nous.

Même ses frères et sœurs, qui pourtant le connaissaient bien, avaient petit à petit cessé leurs visites annuelles « en Amérique », ne se sentant pas suffisamment bienvenus. J'avoue que les gros X au marqueur rouge que Bernard ajoutait consciencieusement et à la vue de tous sur le calendrier mural y étaient pour beaucoup. Entre nous, sa famille n'était pas obligée de s'installer à la maison pendant un mois et de s'attendre à ce que nous soyons à la fois un hôtel, un restaurant et un service de taxi, en plus de servir à tout le monde de guides touristiques. Néanmoins, Bernard aurait pu se montrer plus accueillant.

Combien de fois ai-je essayé de lui faire comprendre que les plats qu'il cuisinait ne constituaient pas une preuve suffisante de son amour ? Parce que c'était bel et bien ce qu'il croyait : « Je suis peut-être maladroit dans ma façon de démontrer mes sentiments, mais mon cassoulet devrait suffire. » J'exagère à peine. Pour lui, préparer des gaufres à sa fille pour le petit-déjeuner était équivalent à s'excuser de l'avoir grondée un peu trop fort la veille, et des truffes au caramel concoctées avec amour auraient dû compenser l'oubli de souhaiter bon anniversaire à son petit-fils.

Malgré mes explications, personne ne comprenait comment je pouvais être heureuse avec un tel homme. Pourtant, dans l'intimité, le bélier se transformait en agneau. C'est souvent lui qui remarquait si quelqu'un dans notre entourage semblait traverser un moment difficile, souvent lui aussi qui me suggérait d'inviter les enfants et petits-enfants à souper. Malheureusement, il n'y avait que moi qui pouvais déceler une lueur de tendresse dans ses yeux lorsqu'il regardait son monde.

Bref, personne ne pleure sa mort, sauf moi.

D'ailleurs, les larmes reviennent lorsque je dépose les plats sur la table, accompagnés des notes imprimées sur des cartons. Je les plie avec soin, pour qu'ils tiennent bien, et j'invite tout le monde à me rejoindre à la salle à manger.

Aubergines parmesan
pour Marc-Antoine

Tu te souviens quand tu es parti pour l'Italie ? Si indépendant déjà, si sûr de toi, si excité à l'idée de découvrir le monde. Je t'enviais tellement, moi qui n'avais jamais quitté l'Amérique depuis mon arrivée à l'âge de dix ans. C'est pour ça que je t'ai engueulé le jour de ton départ, je ne me souviens même plus pourquoi. J'avais seulement besoin d'une raison, peu importe laquelle, pour assombrir ton moment de bonheur, parce que j'étais un sale con jaloux. Tu as été plus mature que moi ce jour-là, en partant tu m'as serré dans tes bras et tu m'as murmuré: «Je t'aime, papa.» Je n'ai jamais oublié. Surtout que c'est la dernière fois que tu me l'as dit, et la dernière fois que tu m'as appelé papa.

Foies de volaille au cognac
pour Sonia

Je ne t'ai jamais vraiment adressé la parole, mais j'ai appris à te découvrir dans tes interactions avec mon fils et ma petite-fille, et je sais que même si tu n'as jamais fait l'effort de me connaître autrement qu'à travers les calomnies de Marc-Antoine, tu es une personne bien. Il était évident que les repas familiaux t'angoissaient, en particulier la perspective de goûter à de nouveaux plats d'origine française. Le jour où j'ai préparé des foies de volaille au cognac pour la première fois, je l'ai fait pour te donner la nausée. Et j'ai raté mon coup. D'accord, ton regard horrifié valait cher, mais ta détermination à ne pas te laisser démonter était admirable, et le discret mais sincère sourire qui s'est peint sur ton visage lorsque tu as goûté et apprécié ta première bouchée était attendrissant. En cet instant, tu m'as fait penser à Jeanne, et j'ai su que tu rendrais mon fils heureux. Je veux que tu saches que toutes les autres fois où j'ai préparé ce plat, c'était pour te revoir sourire.

Canard laqué
pour Mia

Notre famille t'a accueillie à bras ouverts, et tu es Québécoise à part entière, mais tu te dois de comprendre d'où tu viens pour devenir celle que tu seras. À part dans la cuisine, j'ai toujours nié mes origines, cherchant à avancer sans regarder le passé, repoussant même ma propre famille pour tenter d'y arriver. Mais parfois, ce qu'il y a derrière nous nous permet de comprendre ce qui se trouve devant, et nous aide à être en contact avec nos émotions pour mieux les exprimer. Ne fais pas comme moi, ma petite. N'oublie jamais ton histoire.

Gâteau aux carottes
pour Marie

Ton gâteau préféré, non ? Tu t'es souvent abstenue de te faire plaisir en mangeant à cause de tes principes et d'un surplus de poids que tu étais la seule à remarquer. Si tu savais à quel point tu es belle, telle que tu es. Ne laisse jamais personne prétendre le contraire. Pour moi, malgré ce que je t'ai déjà dit, tes formes voluptueuses sont le reflet non pas de ta façon de gérer tes émotions, mais bien de ta façon de croquer dans la vie et d'accueillir le plaisir. Mange une part de gâteau, puis prends-en une deuxième.

Macaroni au fromage
pour Bastien

Lorsque tu avais sept ans, tu es tombé de ton vélo devant chez moi. Une chute spectaculaire qui t'avait fait perdre un soulier, ta casquette et une dent. Quand je suis allé t'aider à te relever, tu m'as dit ne pas vouloir retourner à la maison tout de suite, ta mère étant déjà bouleversée par le départ de ton père, tu ne voulais pas ajouter à ses soucis. On a retrouvé ton soulier et ta casquette (mais pas ta dent), on est rentrés chez moi, et je t'ai préparé un macaroni au fromage, ton premier à vie parce que ta mère est une freak de nutrition. Et on s'est parlé, de grand-père à petit-fils, pour la première fois.

Sandwich beurre d'arachide et confiture de fraises
pour toi, ma Jeanne

C'était notre collation préférée, celle que nous nous préparions lorsque nous étions seuls et avions besoin de nous retrouver. Je te l'ai toujours dit, tu es la confiture de mon beurre d'arachide, le crémage qui tient ensemble le gâteau de notre famille, le bourgogne aligoté qui fait exploser le goût des pétoncles fades, mon complément, ma partenaire, ma complice. Tu es la seule qui a toujours su que j'avais un cœur tendre. Tu m'as accepté tel que j'étais, tu m'as pris par la main et tu m'as fait traverser la vie avec ta compassion, ton humour et ton amour. Je suis désolé de t'abandonner. Mais nous savons tous deux que notre séjour sur terre a été bien rempli, et que nous nous reverrons bien assez vite. Je t'attendrai aux portes du paradis, ou dans notre prochaine vie, selon quelle connerie spirituelle est la bonne.

L'effet des notes est fantastique. Elles passent de main en main, dans un silence surpris, consterné, ponctué de sanglots et de reniflements.

Tiens mon Bernard! Tu n'aurais pas approuvé, mais je devais le faire. Je ne voulais pas que tu partes sans qu'ils sachent qui tu étais vraiment, et ils sont tous tellement centrés sur leur nombril qu'ils n'auraient jamais compris la signification des plats que tu leur avais préparés avec amour.

J'espère qu'ils se sentiront coupables jusqu'à leur mort.

FRANÇOIS LÉVESQUE

Le temps des pommes

Le ciel, encore bleu, laissait pourtant deviner la venue du soir. La même nuance se retrouvait dans les pierres blanches du courant. Était-ce en raison de la quiétude des feuillages d'automne qui, des hauteurs, m'enveloppaient et m'imprégnaient que déjà je pressentais la nuit?

Pluie d'automne,
Récits de la paume de la main
Yasunari Kawabata

Quarante-huit heures. La préparer quarante-huit heures en avance et la replacer au réfrigérateur entre chaque manipulation : tels sont les deux secrets d'une pâte feuilletée réussie.

À tort, on croit que sa confection est compliquée. Elle ne l'est pas. Elle demande de la patience, tout simplement.

C'est comme la vie, au fond : dès lors qu'on se retrouve dans une situation inextricable, on panique ou on angoisse, ou les deux, alors que si l'on a la sagesse de juste... patienter, les choses se règlent souvent d'elles-mêmes.

Mais pas toutes, pas toujours, évidemment...

Non, il est des choses sur lesquelles on n'a aucune prise, hélas.

Peut-être est-ce l'une des raisons pour lesquelles j'aime tant cuisiner : le contrôle total que j'exerce, seule, à mes fourneaux.

Cuisiner, c'est ce que je préfère au monde. J'ai de surcroît un talent pour ça. Ce n'est pas vaniteux de le dire. Au contraire, ce serait de la fausse modestie que de ne pas l'admettre.

Si ma mère m'entendait...

Il reste que les domaines dans lesquels j'excelle sont rares, mais que la cuisine, ça, je sais faire, et très bien.

Y compris la pâte feuilletée. En l'occurrence, une partie ira autour d'un rôti de bœuf en croûte tandis que l'autre servira à la confection d'une tarte aux pommes.

Salé, sucré : c'est polyvalent, la pâte feuilletée.

Les rôtis et les tartes ont toujours compté parmi les plats favoris de ma famille, en automne et en hiver.

Par temps froid, il y a quelque chose de réconfortant à sentir sa panse bien pleine.

Oh, je sais, on n'est encore qu'au mois d'août, et l'été n'a pas dit son dernier mot, mais déjà, je sens dans le fond de l'air cette fraîcheur piquante, ce début de commencement de froidure qui ne trompe pas.

Mes os ne me trompent pas.

Fermer les yeux et laisser le soleil de fin d'après-midi me chauffer le visage, doucement…

Au fil des ans, la maison a subi moult modifications, mais dans la cuisine, rien n'a changé : je suis tombée en pâmoison devant les armoires de bois d'origine et elles ont survécu à toutes les modes, y compris la mélamine.

J'ai peint les murs ocre et vermillon et n'ai fait que rafraîchir la peinture depuis.

C'est un lieu chaleureux ; le plus chaleureux de la maison.

C'est son cœur.

Deux fenêtres m'assurent une luminosité optimale, l'une ouvrant sur le sud-est, et l'autre, sur le sud-ouest. C'est face à celle-ci que j'aime le plus me tenir, comme en ce moment, yeux clos, tandis que l'après-midi touche à sa fin.

Tout autour de la maison, de la verdure, et en haut, le ciel.

Nous avons notre intimité.

Mon amour pour la cuisine ne date pas d'hier, c'est vrai, mais je doute que je continuerais de m'adonner à ma passion avec autant de plaisir si je n'étais pas si bien installée.

Je serai éternellement reconnaissante à Robert d'avoir choisi cette maison. Moi, je n'étais pas convaincue. Simon avait alors deux ans, j'étais enceinte de Sophie et notre petit appartement du centre-ville ne convenait plus.

L'agent d'immeuble nous a fait visiter une douzaine de maisons. D'emblée, j'ai jeté mon dévolu sur un bungalow coquet offrant quatre chambres. Cette quatrième pièce, me disais-je, pourrait servir de bureau à Robert : il rapportait si souvent des dossiers à la maison.

Mais non : Robert a plutôt insisté pour acheter cette maison-ci, avec ses trois chambres et son sous-sol pas encore terminé. Sise dans un quartier résidentiel relativement cossu, la propriété possédait un grand terrain.

Nous n'avions pas besoin de si grand.

C'était fou.

C'était extravagant.

Et bien entendu, cette maison-là était beaucoup plus chère que celle pour laquelle j'aurais opté, moi.

Robert ne m'a pas forcé la main même si dans les faits, c'était lui, qui l'achetait. Du moment qu'il m'a assuré de la faisabilité de la transaction – les chiffres, c'était après tout son rayon –, je me suis rangée à son avis, trop heureuse, quoiqu'encore circonspecte.

À vrai dire, il s'agissait, et de loin, de la plus belle des maisons que nous ayons visitées. Justement, à cause de cela, et du prix, je l'avais d'emblée écartée des possibilités. Aînée d'une famille de neuf enfants, j'avais grandi sur une terre, pauvrement, qui plus est dans la crainte de Dieu.

Une si belle maison, c'était plus que je n'en méritais.

C'était péché.

Robert, lui, avait passé son enfance en ville, pas riche non plus, mais au sein d'un foyer un peu plus prospère, un peu plus athée.

Il ne se sentait pas coupable de ne pas crever de faim. Il disait toujours, à la blague, qu'avec pour épouse une aussi bonne cuisinière que moi, c'était de crever de faim qui aurait été pécher.

D'ailleurs, c'est pendant que je vidais les boîtes et transférais leur contenu dans les armoires, en emménageant, que j'ai compris que Robert avait arrêté son choix sur cette maison non pas à cause du grand terrain sur lequel pourraient s'ébattre Simon et éventuellement Sophie, mais à cause de la cuisine.

Robert avait vu, alors que moi je m'en étais d'office empêchée, que cette cuisine-là me comblerait.

Ça m'avait touchée.

Ce n'était pas si courant, à cette époque lointaine, qu'un époux se soucie d'abord de son épouse. Je sais, je sais : ce serait facile de tirer la conclusion qu'il ne pensait au fond qu'à son propre confort matrimonial. Mais non : les repas auraient été aussi bons si je les avais préparés dans une cuisine mal fichue.

Il a fait cela pour moi, d'abord et avant tout, conscient de ma passion, et conscient que celle-ci s'épanouirait davantage dans cette cuisine-là.

Il est resté romantique jusqu'à la fin, mon Robert.

Ça non plus, ce n'était pas si courant.

En guise de confession au sujet de son choix de maison, il m'a dit que si j'étais heureuse, alors nos enfants et lui le seraient aussi, forcément.

Nous l'avons tous été, heureux, un temps.

Comme lorsque Robert a planté le pommier, dans la cour, derrière la maison.

Et comme lors de tous ces samedis passés ensemble à regarder la *Soirée du hockey*, au salon, en rêvant des séries.

Ou comme à l'occasion de tous ces dimanches réunis autour de la table, avec des plats différents selon la saison, mais toujours, toujours, « ma fameuse tarte aux pommes », comme ils l'appelaient tous les trois, pour clore le repas…

Cette maison a été bonne, pour nous.

Quant aux malheurs… Elle n'en est pas responsable.

Personne ne l'est, c'est le plus terrible.

Peut-être est-ce là une autre raison pourquoi j'aime tant cuisiner : si je rate un plat, je n'ai que moi à blâmer.

C'est là une autre certitude qui me rassure, étrangement. Comme un ventre plein lorsqu'il fait froid.

Les certitudes sont si rares, en ce bas monde.

Et donc je passe dans ma cuisine, ma cuisine parfaitement adaptée à mes besoins, plus de temps que dans n'importe quelle autre pièce. J'y prépare trois repas par jour, j'y lis mon journal en avant-midi, y prends mon thé l'après-midi, ma tisane le soir, lisant un roman, assise au comptoir…

La verdure, tout autour, et le ciel, en haut…

Nous avons notre intimité, ou plutôt, j'ai mon intimité.

La maison me paraît si vaste depuis le décès de Robert…

C'est comme si on m'avait enlevé une partie de moi. Non, ce n'est pas ça.

C'est comme si une partie de moi s'était… dissoute, voilà.

Après quarante-trois ans de mariage, Robert était ma chair et mon sang.

Quand notre fille est partie au collège, j'ai ressenti un vide terrible, mais je me suis surtout réjouie pour elle. J'étais heureuse de savoir qu'elle verrait probablement plus de choses durant ces deux années de cégep que moi au cours de toute ma vie.

J'exagère à peine, non que je sois triste ou éprouve quelque regret.

La vérité, c'est que je n'ai jamais ressenti le besoin de «voir le monde», comme on dit. J'ai eu la chance immense de savoir très tôt ce que je voulais, et pourquoi je le voulais. Mon bonheur est simple, peut-être simpliste, mais il est à moi, et personne n'a à en juger.

Ce qui m'emplit de joie, c'est d'être chez moi, dans une maison pleine de souvenirs heureux et de gens que j'aime, et de contribuer à ces souvenirs et à cet amour.

Les gens que j'aime se résument à présent à ma fille Sophie, dont la présence n'est plus qu'hebdomadaire.

Quant aux souvenirs heureux, j'admets qu'ils ne font parfois pas le poids lorsque la tristesse me gagne; lorsque je pense à Simon.

La vie n'a jamais été facile pour Simon.

Simon, mon beau garçon.

Robert et moi l'avons adoré, comme sa sœur.

Ça n'a pas suffi.

Rien, jamais, ne lui suffisait.

Les mauvais coups sont devenus infractions…

La consommation récréative est devenue dépendance…

Robert et moi avons été impuissants à le raisonner, à l'aider.

C'était comme… C'était comme s'il avait renoncé à nous, qu'il s'était détaché de nous, sans doute pour ne pas nous blesser, parce qu'il savait où tout cela allait le mener.

Il s'est suicidé, Simon. Un vol qui a mal tourné. Le caissier du dépanneur a essayé de le désarmer; le coup est parti.

Simon a cru l'avoir tué, mais le commis a reçu la balle dans l'épaule. Il était en route vers l'hôpital lorsque notre fils a retourné son arme contre lui dans le petit appartement qu'il avait obstinément refusé que j'aille visiter.

Il nous a laissé une note avec des mots gentils.

Gentils, oui, et d'autant plus crève-cœur.

C'était un 24 novembre.

Il avait 21 ans.

J'imagine qu'on ne peut jamais réellement se remettre de la mort d'un enfant, quelles que soient les circonstances.

Robert n'a plus été le même, après. Nous avons eu d'autres beaux moments, mais je n'avais jamais à chercher longtemps pour trouver cette zone d'ombre, au creux de ses yeux.

Je n'avais jamais à la chercher longtemps parce que j'apercevais la même chaque matin dans le miroir en me levant.

Au cours des mois qui ont suivi le suicide de Simon, Robert s'est replié sur lui-même.

Sophie a été forte pour nous deux: elle a été mon roc.

Après la mort de Robert, ç'a été mon tour de soutenir Sophie, ce qui m'a permis de composer avec ma propre peine, curieusement. Enfant, Sophie était plus proche de son père que de moi; c'était comme ça. Au gré des épreuves toutefois, un lien s'est tissé entre nous, puissant.

Incassable.

Nous sommes demeurées extrêmement proches. Elle qui a pourtant hérité de son père une nature peu loquace, elle m'appelle chaque jour sans faillir.

On se dit tout, et rien, et ces riens-là s'avèrent souvent plus significatifs que tout.

Et le dimanche, elle continue de venir souper, et je prépare alors mon rôti de bœuf en croûte, qu'importe la saison désormais, parce que c'est sa recette préférée, et ma tarte aux pommes, il va sans dire.

Elle sera bientôt là…

Je perçois la lumière orangée, derrière mes paupières, comme un brasier lointain. Je pourrais rester là une éternité si ce n'était de mon souper dominical à préparer.

Mon esprit vagabonde… Je ne m'habitue pas au silence de la maison. Simon et Sophie qui se chamaillent ou jouent avec leurs amis… Je m'ennuie de ce bruit, de cette rumeur enfantine.

Les yeux ainsi fermés, je peux facilement les retrouver tels qu'ils étaient hier, tout petits, mes bébés…

Simon qui ramasse une pomme dans le gazon et la croque avant que j'aie pu l'en empêcher, et qui recrache et jette la pomme et le ver qu'elle contient… Moi lui expliquant qu'il ne faut jamais manger une pomme tombée de l'arbre, lui qui me regarde avec les grands yeux de son père et me demande à brûle-pourpoint pourquoi on dit «pomme pourrie» pour parler de quelqu'un.

Sophie qui prend la pose dans sa toge de finissante devant le pommier, à la fin du mois de mai; ma fille en fleur, à l'instar de l'arbre. Moi prenant la photo en décelant déjà, à travers l'objectif, la femme qu'elle deviendra. Son père et son frère qui la rejoignent pour une autre photo…

Un reflet m'aveugle momentanément; le soleil darde ses chauds rayons.

Les yeux ainsi fermés, les réminiscences heureuses affluent.

Les yeux ainsi fermés, je me croirais presque revenue à ces beaux jours de la fin du mois de juin, si proches, si distants…

Pendant que mon père et mes frères procédaient à la fenaison, ma mère et moi nous activions pour nourrir leurs ventres affamés par la corvée.

Ma petite sœur, encore un bébé, était ma responsabilité. Je me revois, juste avant le souper, me tenir debout devant la fenêtre de la cuisine et bercer gentiment ma sœur pour lui faire passer ses coliques.

Le soleil me caressait le visage de la même manière.

De la même manière…

Et ma mère de ne jamais ralentir la cadence, exacte dans ses gestes comme dans ses mesures, supervisant de-ci de-là les opérations lorsqu'elle réclamait mon assistance à la popote.

Exacte en tout, ma mère, à ses chaudrons comme dans son affection.

Jamais trop, jamais trop peu.

J'éprouve toujours une joie secrète quand je reprends l'une de ses recettes et que ma cuisine embaume exactement comme la sienne, car je retrouve alors cette enfance chiche mais heureuse néanmoins.

Et c'est aussi à cela que contribuent ma fenêtre sud-ouest et mon bout de ciel.

Je sens encore l'odeur du foin coupé, et celle de la terre chauffée en été…

Ma mère m'a appris à cuisiner très tôt.

Elle m'a surtout appris à ne rien gaspiller. Le bœuf en croûte et la tarte en constitue un bon exemple, la seconde étant faite avec les retailles issues du premier. Avant d'être la mienne, la recette de bœuf en croûte était la spécialité de ma mère. C'était déjà le repas du dimanche.

Or, quelle que soit la qualité de la viande que rapportait mon père, la pièce était généralement de taille modeste pour les onze bouches, enfants et parents confondus, assis autour de la table. En l'enroulant dans une pâte riche, ma mère palliait en partie ce problème… Avec l'aide d'un monceau de pommes de terre, le seul aliment, je le confesse, que je ne supporte plus de manger pour n'avoir fait que cela mon enfance durant.

Dire que Robert était fou de mes patates pilées… Il était aussi fou de ma tarte aux pommes. Ça, c'est ma recette : ma mère n'avait pas souvent de pommes sous la main et se rabattait volontiers sur la tarte au sucre, la cassonade étant bon marché.

Qu'à cela ne tienne, même si je n'ai plus à craindre la pauvreté, je continue d'étirer ma pâte feuilletée comme le faisait par nécessité ma mère avant moi.

La force de l'habitude.

Personne ne s'en est jamais plaint, à commencer par Robert.

Il me manque, mon Robert, surtout le dimanche.

Le souper en famille du dimanche, c'était sacré. Si ma passion, c'est la cuisine, celle de mon mari, c'était nous, sa famille. Nous le sentions tous, je pense. Même au faîte de sa délinquance adolescente, Simon ne ratait pas un seul souper du dimanche.

Sophie non plus, sauf une fois.

Pauvre chérie… Je me souviens de ce dimanche après-midi de septembre, elle venait d'avoir 15 ans…

Sa copine Johanne était venue écouter de la musique.

J'ai fait irruption dans la chambre de ma fille avec une pile de vêtements fraîchement pliés et les ai surprises en train de s'embrasser.

Ce soir-là, elle a prétexté des douleurs menstruelles et n'est pas descendue souper. Je savais, et elle savait que je savais, qu'elle n'en était pas encore à ce moment-là de son cycle. Je me suis tue, et pendant une semaine, Sophie et moi avons fait comme si rien ne s'était passé.

Puis, le dimanche suivant, elle est venue me trouver dans la cuisine – je préparais des conserves de légumes.

Plantée tout près de moi, immobile et de toute évidence mal à l'aise, elle m'a demandé si elle «pouvait faire quelque chose» pour m'aider. Elle n'avait jamais formulé une telle offre, et ça m'a fait sourire.

Je lui ai répondu que ce qu'elle pouvait faire, c'était d'être elle-même et d'être heureuse, et que je n'en demandais pas davantage.

C'était le cas.

Robert a eu plus de mal, mais j'ai dit à Sophie, oui, d'être patiente.

Ça lui a passé, à son père.

Johanne n'a fait que passer aussi; premiers émois. Mais plus tard, il y a eu Cynthia, pendant deux ans, puis Joëlle, pendant quatre. Cette rupture-là m'a fait beaucoup de peine: j'aimais tout particulièrement Joëlle.

La trentaine a été plus difficile. Au point où je me suis inquiétée que la quarantaine soit pire.

J'avais tort. Lors d'une fête d'anniversaire organisée par ses amies pour ses 41 ans, Sophie a rencontré Anna, merveilleuse Anna.

Combien d'années, de cela…?

Ce que le temps file…

Ma vie, devant mes yeux, mes yeux clos…

Enfant, jeune fille, jeune femme, épouse, mère, puis femme encore, après que tous soient partis…

Et je reste dans ma maison, dans ma cuisine bien-aimée, mon visage tourné vers le soleil de quatre heures.

Elle sera bientôt là…

Terminer le rôti, et la tarte, oui…

Les pommes ! J'ai oublié de cueillir des pommes, pour la tarte. Un souper du dimanche sans tarte aux pommes, c'est impensable. Sophie sera tellement déçue.

Sophie…

Bientôt là…

Qui ?

La froidure qui s'insinue dans mes os : des nuages ont dû voiler le soleil.

Il va pleuvoir.

Ouvrir les yeux à regret…

Le pommier a disparu.

Pas ma cour… ce n'est pas ma cour…

Ni ma cuisine.

Ces murs blancs, ce lit…

Ces mains ridées, si ridées…

Quelqu'un vient…

Une femme, elle doit avoir une soixantaine d'années, elle paraît bien…

« J'espère que tu as faim, maman. »

Mmm… ça sent bon la cannelle et la pomme chaude.

Je connais cette odeur…

Qui est cette femme si gentille qui me tend une part de tarte ?

Son visage m'est familier, si familier…

Pourquoi je n'arrive pas à me rappeler ? Pourquoi ai-je peur, soudainement ?

Patience.

Ça va me revenir.

Patience.

La patience vient à bout de presque tout.

C'est comme en cuisine, au fond…

MICHEL JEAN

Mush

La lumière décline et une fraîcheur de fin d'été s'installe sur le quartier. Le parfum des pelouses coupées flotte. Le bruit de l'eau de la rivière se jetant sur les rochers entre par les fenêtres ouvertes.

J'ai choisi cet endroit dans un édifice de quatorze logements à flanc de colline pour cela, la vue et le chant de la Petite Décharge. Les flots bouillonnants exhalent des odeurs de pulpe de bois et emportent les bâtons que, sur le petit pont, les enfants, appuyés sur le garde-fou, s'amusent à jeter.

La rivière pue et la puissance du courant effraie les gens. Mais pas moi. Même souillée, son eau reste celle de Pekuakami. Pekuakami, mon lac tranquille où sur une jolie pointe de sablon se dresse Mashteuiatsh, le village où j'ai grandi. L'air y est doux l'été. C'est peut-être pour ça qu'il y a très longtemps, les anciens avaient choisi d'y établir leur campement estival.

Nitassinan compte d'innombrables lacs. Mais aucun par sa taille ou sa beauté ne se compare à Pekuakami. Enfant, souvent le soir après le souper, je grimpais sur la colline derrière notre maison et m'asseyais sur la dune en fixant l'horizon, espérant voir l'autre rive sans jamais y arriver. J'aimais que Pekuakami soit plus fort que moi.

Quand l'été achevait et que tout le monde se préparait à retrouver son territoire de chasse, un mélange de tristesse et d'excitation s'emparait de moi. Quitter mon lac et sa plaine pour la forêt et les montagnes me pinçait toujours un peu le cœur, mais l'excitation du voyage à venir finissait par l'emporter.

Le territoire des Siméon se trouvait à la tête du lac Péribonka. Le voyage pour s'y rendre était long et ardu. Il fallait d'abord contourner Pekuakami vers le nord-ouest jusqu'à la rivière du même nom. Puis, nous entreprenions la longue remontée.

Au début, le cours d'eau dessine un chemin sinueux à travers les bancs de sable. L'eau coule avec paresse dans les méandres et cela donnait l'impression que le voyage serait facile. Pourtant, de nombreux obstacles nous attendaient et il faudrait tous les affronter. La Péribonka comptait de nombreux rapides. Parfois, on pouvait les franchir sans décharger les canots, en les poussant en avant avec de longues perches. Mais quand le courant était trop fort, il fallait vider les embarcations et portager le matériel à travers la forêt en escaladant des montagnes abruptes.

Chacun portait alors sa part, même les enfants. Avec le temps, à force de transporter les canots sur le dos, une callosité se forme à la base du cou. Tous les Innus ont cette bosse de canot. C'est comme une marque que la forêt imprime dans nos corps. La mienne est encore là même s'il y a longtemps que je n'ai pas porté un canot sur mon dos. Elle fait partie de moi comme tant de choses invisibles au regard des autres, mais pas du sien. Lui, il aime glisser sa main avec douceur sur ma nuque. Cela lui rappelle le sacrifice que j'ai accepté de faire en le suivant. En l'aimant.

Ce voyage vers le territoire prenait un bon mois. Une fois rendus à la tête du lac, nous établissions notre campement près des chutes que nous appelons les Passes dangereuses. Une fois que la tente était bien installée, un plancher de sapinage recouvrant le sol, on pouvait avec un petit poêle endurer les pires froids sans en souffrir. Nous passions l'hiver à chasser et à trapper en accumulant le plus de peaux possible, que nous revendrions ensuite au magasin de La Baie d'Hudson de Mashteuiatsh.

Quand la neige fondait enfin et que la rivière émergeait peu à peu à travers la glace, le moment de retourner vers Pekuakami approchait. Au retour, la crue printanière gonflait les flots. Le chemin qu'il avait fallu tant d'efforts à gravir ne prendrait qu'une semaine à descendre. Après des mois de relative solitude en forêt, nous allions retrouver les autres pour l'été. Ainsi les saisons rythmaient notre vie sans que nous pensions qu'un jour cela puisse s'arrêter.

Un camion s'engage avec prudence sur le pont, et je reconnais le vieux Ford rouge de mon frère Clément. Dans la montée du boulevard De Quen, le moteur rugit, peine, signe que Clément en a tué un gros.

Xavier, qui a tout arrangé, l'attend devant le quatorze logements. Clément l'avait appelé hier en sortant du bois. Au moulin, mon mari avait prévenu les intéressés qu'il y aurait une livraison de mush (orignal). Il n'a pas eu de difficulté à trouver des acheteurs. Au prix que coûte la viande, le chargement de Clément est une aubaine.

Mon frère gare son Ford. Le bruit des cris et des pas des petits courant dans la rue résonne. Il y a beaucoup d'enfants dans ce quartier où plusieurs familles qui, comme la nôtre, ne peuvent pas se payer une maison s'entassent dans des appartements. Un jour, m'a promis Xavier, nous aurons la nôtre, et quand je vois la lumière au fond de son regard, j'y crois moi aussi.

La dernière fois que j'ai vu Clément, c'était au début de l'été. J'étais allée visiter maman en train à Mashteuiatsh avec mes filles les plus jeunes, Claude et Margot.

Ce train me donne toujours le frisson, car c'est grâce à lui que j'ai rencontré Xavier. Il travaillait à la construction de la voie ferrée dont le tracé passait à quelques enjambées de chez nous et plantait des pieux dans le sol à grands coups de masse quand je l'ai vu la première fois. J'avais tout de suite aimé son assurance, sa force et son regard tranquille. Un regard innu qu'il tenait de son géniteur. Mariée à un homme passant sa vie sur les chantiers, sa mère était tombée amoureuse d'un Indien pendant l'une des nombreuses absences de son mari. Le père de Xavier n'avait jamais accepté cet enfant dont il se doutait qu'il n'était pas de lui. Le petit avait grandi dans un climat tendu et la situation s'était aggravée après le décès de sa mère. Cette enfance difficile aurait pu le briser, mais il en a tiré une force qui le suit partout maintenant.

Dans le train, le grand lac est apparu au détour d'un virage. Le vent répandait un parfum sucré de fleurs sauvages. Pekuakami était maussade et sa mauvaise humeur m'a ramenée à ma jeunesse.

Une année, un mauvais temps persistant nous avait forcés à retarder le départ vers le territoire. Mon père s'impatientait, car il fallait arriver avant le gel pour installer le campement. Quand nous avions enfin pu prendre la route et que nous étions arrivés à l'embouchure de la Péribonka à la fin d'une longue journée, mon père avait refusé que nous arrêtions. Les canots se suivaient de près dans l'obscurité d'une nuit sans lune. Seuls le bruit des rames s'enfonçant dans l'eau et le clapotis des vagues sur les coques rompaient le silence. Aucun de nous ne savait nager. La peur des rochers invisibles me serrait le ventre.

Les pagaies s'enfonçaient dans l'eau opaque. Notre petite caravane avançait avec lenteur. Je dormais éveillée quand mon père a enfin décrété qu'il était temps de s'arrêter. Nous avons tiré les embarcations sur la rive et nous nous sommes couchés sur le sable. Au réveil, j'ai reconnu la falaise de roc au pied de laquelle se trouvait la plage où nous faisions escale chaque année.

Le cri d'un enfant me ramène à la rue Taché. Xavier vient d'attraper par le bras un garçon qui allait tomber. L'enfant, pour faire le brave, s'était avancé jusqu'au camion. Il avait grimpé et avait glissé sa tête derrière la toile.

Surpris, l'un des deux ados qui accompagnaient Clément avait sursauté. L'enfant avait eu peur et pris ses jambes à son cou. En voulant aller trop vite, il s'était accroché les pieds et Xavier l'avait intercepté en plein vol plané.

— Fais attention, petit. Tu vas te faire mal.

L'enfant le fixait avec de grands yeux effrayés.

— C'est toi qui lui as fait peur, a ajouté Xavier de sa voix grave.

Le garçon a signifié un oui timide de la tête et a déguerpi. Les autres ont reculé. Cette crainte que nous inspirons me fait mal. C'est nous qui devrions avoir peur.

Deux hommes qui se ressemblaient, sans doute un père et son fils, ont repris leur discussion avec Xavier. Trapus, avec des mains noueuses, ils avaient la peau burinée par le travail au soleil. Leurs cheveux bouclés blonds faisaient ressortir le bleu acier de leurs iris. Ils ont payé et Clément a remis à chacun un paquet qu'ils ont déposé dans la boîte d'une camionnette verte poussiéreuse.

Qu'est-ce que mush représentait pour eux ? En appréciaient-ils le goût fin ? Se réjouissaient-ils plutôt de l'aubaine en regrettant de ne pouvoir s'offrir du bœuf ou même du porc ?

Pour nous, c'est le roi de la forêt. Les anciens racontent qu'autrefois on le voyait peu dans Nitassinan. Atik (caribou) était répandu à cette époque. Mais peu à peu, Mush l'a remplacé. Aujourd'hui, il faut monter jusqu'à la grande plaine du nord pour le trouver. Sans ces gros gibiers, les Innus n'auraient pas survécu. Pour nous, ils sont précieux, alors que pour ces gens qui viennent chercher leur paquet, ce n'est sans doute qu'un peu de viande pas chère.

Xavier m'a fait un clin d'œil et je lui ai souri. Peu importe les réelles origines de mon mari, selon la loi il reste un Blanc. En le choisissant, j'ai dû quitter ma communauté. C'est la loi des Blancs. Et celle des Innus aussi. Mon propre père n'a pas assisté à mon mariage à Alma. Seule ma mère est venue.

C'était il y a quinze ans déjà. La vie telle que nous l'avions toujours connue allait disparaître, mais nous refusions de l'accepter. J'imagine qu'on s'est accrochés aussi longtemps que possible. Avions-nous d'autres choix?

Désormais, les bûcherons coupent la forêt et utilisent nos rivières pour transporter les arbres. C'est à peine si on voit l'eau sous la forêt flottante et il me serait impossible de remonter, comme je le faisais enfant, la Péribonka jusqu'aux Passes dangereuses. De toute façon, il paraît que c'est devenu une immense savane où le vent balaie la poussière que les bûcherons ont laissée dans leur sillage. J'aime autant ne pas voir ça.

La compagnie pousse les chemins toujours plus loin au nord. Ce bois qu'elle coupe chez nous alimente le moulin à papier où travaillent Xavier et tous nos voisins. À Mashteuiatsh, désœuvrés, beaucoup des habitants de la communauté boivent. Au moins, en partant, j'aurai échappé à cela.

Le jour de ma visite au début de l'été, Clément m'attendait comme d'habitude à la gare de Roberval, son vieux camion rouge garé un peu à l'écart. Il m'a saluée, a dit bonjour aux filles, a déposé notre bagage dans la boîte à chargement et nous nous sommes mis en route. Mon frère est le portrait de notre père. Même visage fermé, mêmes yeux bridés, mêmes mains aux doigts courts, même voix douce et assurée. Chaque fois que je le vois, j'ai l'impression que papa vit toujours à travers lui.

La minuscule maison familiale tient le coup, à quelques mètres à peine de la voie ferrée. La compagnie de chemin de fer avait offert de la déplacer, mais maman avait refusé. Sa maison resterait là où son mari l'avait construite. Même si chaque fois que le train passe, elle tremble de toute part.

Mes tantes Marie et Christine avaient comme toujours planté leurs tentes face au lac. Elles refusaient de dormir ailleurs.

Maman paraissait heureuse de voir ses petits-enfants. Elle ne le dit jamais, mais je sais que ça lui fait mal qu'ils grandissent loin d'elle, loin des Innus. Tant de choses changent. Cela représente une épreuve de plus.

J'emmène mes petites la visiter aussi souvent que possible. J'espère que ça les aide à comprendre d'où elles viennent. Alors que je reste attachée à des manières qui perdent peu à peu leur sens, elles grandissent semblables et différentes, au milieu de gens aussi blancs que leurs maisons, qui se moquent parfois de notre peau brune. Surtout les enfants, et ces moqueries laissent des cicatrices. Moi, je me suis faite aux regards obliques. Je soigne mes tenues, je coiffe mes cheveux, je me maquille toujours. Les voisines disent que je suis fière. Si elles savaient à quel point.

Une bourrasque secoue un gros arbre, souffle une volée de feuilles rougies. Bientôt, l'hiver va s'abattre. En ville, il est plus dur que dans le bois. Chez nous, les arbres nous protègent. Ici, on est abandonnés au vent et à la neige. Et nos vêtements, s'ils sont élégants, ne valent pas les peaux et les fourrures. Les enfants sont souvent malades. Ça me brise le cœur chaque fois.

Clément descend du camion et Xavier le rejoint. Ils se saluent. Xavier soulève la bâche, inspecte le contenu.

— Wow! J'ai jamais vu un aussi gros orignal, dit-il. Ça fait beaucoup de viande.

Clément sourit. Certaines choses ne changent pas. Comme la fierté des chasseurs quand la prise est de taille.

— Les gars ne vont pas tarder à arriver. T'as ce que je t'ai commandé?

Mon frère a fait un signe de la tête et un des deux jeunes qui l'accompagnent sort de la cabine avant. Il tire le rideau de toile qui cache le contenu du camion et saute à l'intérieur avec souplesse. Une minute plus tard, il réapparaît avec une belle pièce de viande enroulée dans du papier. Xavier soupèse le paquet et le tend à ma fille Claude, qui, à dix ans, semble trouver son fardeau bien lourd.

— Va porter ça au frigo.

Au même moment, une vieille Chevrolet cabossée arrive et se gare derrière le camion. Un homme d'un certain âge en sort. C'est un type court et costaud avec le crâne dégarni et des sourcils en bataille, dont le visage m'est familier. Je reconnais un collègue de Xavier à l'usine.

Ils discutent tous les deux un instant pendant que Clément attend, appuyé sur le camion. Ils échangent des blagues et l'homme éclate de rire. Il tend ensuite des billets à mon frère, qui lui remet un paquet de papier. L'homme le pose sur le siège du passager, démarre et fait demi-tour dans la rue. Les pneus crissent, l'auto disparaît au bout de la rue.

Au même moment, une Studebaker d'un beau vert forêt arrive. Celui qui en émerge porte un complet de laine et une cravate. Une montre pend à sa veste. Il salue Xavier et Clément avec élégance. Je reconnais monsieur Deschênes, propriétaire du magasin de meubles. Nous y avons acheté le divan du salon. Ça me semblait une folie, mais Xavier y tenait.

— Il faut quand même que l'appartement soit confortable, Jeannette. Notre vieux divan est tout défoncé.

— Tu as raison, chéri. Sauf que c'est tellement d'argent juste pour s'asseoir.

Il s'était contenté de me regarder avec cette tendresse que je n'avais vue chez aucun autre homme et qui me désarmait toujours. Pourtant, cette fois j'ai insisté.

— Ça représente une semaine de salaire, Xavier. Une semaine de ta sueur.

— Ça va être correct, Jeannette. T'en fais pas. On a les moyens.

Nous sommes mariés depuis quinze ans. J'ai vécu assise par terre, sur un plancher de sapin odorant sous la tente, sur un lit d'humus, et tout cela ne m'a jamais rien coûté. Le divan est beau et confortable, oui, mais pas plus qu'une couche épaisse de feuilles.

Je n'avais d'ailleurs jamais vu un endroit comme Gagnon et Frères, le magasin de monsieur Deschênes. Il contient tout ce qu'on puisse imaginer faire rentrer dans une maison : des frigos, des poêles électriques, des meubles de toute sorte. Les vendeurs portent de beaux vêtements, se montrent prévenants.

Court, le visage rond, le front bas avec des cheveux de jais très épais, monsieur Deschênes a des traits coupés au couteau. Sa voix est grave et râpeuse, mais son regard, bienveillant.

Quand il m'aperçoit sur le balcon, il soulève son chapeau de feutre.

Un des jeunes de Clément dépose dans le coffre arrière un paquet énorme et le referme d'un geste sec. Monsieur Deschênes repart en saluant tout le monde.

Le va-et-vient des autos attire de plus en plus de badauds. Ils s'agglutinent autour du camion, se demandent ce que fait dans le quartier cet étrange véhicule. À quel trafic il sert. Leurs regards expriment de la curiosité à laquelle se mêle un peu d'inquiétude. Clément demeure imperturbable, mais les garçons qui l'accompagnent, plus timides, se tiennent à l'abri des regards curieux, dans la boîte de chargement.

— Pourquoi ils ne sortent pas du camion ?

— On dirait qu'ils se cachent.

— Pis l'Indien là, il parle pas.

Les citoyens d'Alma n'ont pas l'habitude. Nous sommes les seuls autochtones en ville. Et ils se demandent ce que des Indiens de Pointe-Bleue font dans leur quartier.

L'air farouche de Clément, ses cheveux comme du charbon, son visage fermé et sa peau brune tranchent avec l'allure de mes voisins. Ça se voit qu'il n'est pas d'ici.

— C't'un vieux camion ça, siffle un enfant en se moquant.

Avec sa boîte en planches de bois décoloré et sa peinture écaillée, le Ford de Clément avait connu des jours meilleurs. Il lui fallait presque deux heures pour parcourir les soixante kilomètres de route raboteuse qui séparent Mashteuiatsh d'Alma.

Soudain, un garçon, plus audacieux que ses camarades, plus fantasque, a soulevé la toile et glissé sa tête dans la boîte arrière. Il s'est mis à crier et s'est enfui en courant. Le bruit a attiré davantage de curieux. De la galerie, j'entends les murmures. Les Indiens ont-ils blessé l'enfant ? Un murmure se répand dans la foule.

Les jeunes qui effraient ainsi l'enfant sont les neveux de Clément. Ils sont timides comme les gens de mon village. Eux aussi ont peur de cette foule qui les entoure et les observe avec une nervosité grandissante.

Les amis du petit qui s'est sauvé se tiennent maintenant à distance. Le brouhaha passe. La foule se calme. Les clients continuent d'arriver, et j'ai peur de voir la police débarquer. J'imagine que c'est interdit de vendre de la viande dans la rue.

Les gens repartent avec leur paquet sous le bras comme s'ils sortaient du magasin. Chez eux, ils vont préparer la viande comme ils le feraient pour une pièce achetée chez le boucher sans se soucier de l'animal qui a donné sa vie. Chez nous, avant de le manger, on accroche un os de l'animal à la branche d'un arbre. C'est une marque de respect pour la bête qui nous permet de vivre. Une façon de la remercier de son sacrifice. J'imagine la tête que feraient mes voisins s'il fallait que je suspende des os aux arbres. Ils me prendraient pour folle. Je me contente de remercier l'animal et le Créateur.

Le dernier acheteur emporte sa viande. C'est un petit homme nerveux et vif. Il habite en haut de la côte du boulevard De Quen. Je le vois souvent à l'église avec son épouse, une femme très belle et très pieuse. Il est mécanicien à Riverbend, je crois, où l'Alcan a un gros barrage sur la Grande Décharge, l'autre rivière où se déverse Pekuakami. Il repart avec un imposant morceau, si lourd qu'il doit le tenir de ses deux mains, et le jette sur la banquette arrière d'une Dodge rutilante.

Mon frère referme la toile et ses neveux s'installent devant, dans la cabine. Clément me regarde un instant, il sourit. On dirait papa. Je le salue. Entre nous, pas besoin de parler pour nous comprendre.

Les pistons claquent, l'engin rugit et le camion accélère avec difficulté. Bientôt il disparaît au bout de la rue laissant dans son sillage un nuage noir.

Pendant quelque temps, on perçoit encore le grondement du vieux moteur s'éloignant dans l'obscurité. Des odeurs de terre humide se répandent et la froidure s'installe pour la nuit. La foule s'est dispersée. On n'entend plus que le bruit de l'eau sur les rochers au pied de la colline. L'eau de Pekuakami.

Le lendemain, après le départ de Xavier pour le travail et des filles pour l'école, je m'attaque au ménage. La radio joue une chanson de Luis Mariano, et je me surprends à la fredonner, moi qui n'ai aucun goût pour cette musique. À me regarder, qui se douterait que quinze ans plus tôt, je ne savais pas entretenir une maison moi qui avais toujours vécu sous la tente, sans réfrigérateur ni four. Nous faisions le lavage à même la rivière, et personne ne pensait à repasser nos vêtements.

À midi, les filles sont revenues de l'école pour dîner. Six filles dans le même appartement, c'est une tornade. J'espère que le bébé que je porte dans mon ventre sera un garçon. Cela ferait tant plaisir à Xavier.

Après le départ des petites, le calme est revenu dans le logement. Tout est propre. Tout est à sa place. Par la fenêtre, j'entends la rivière, ma musique préférée.

À l'époque, à cette période de l'année, nous finissions d'installer notre campement pour l'hiver aux Passes dangereuses. Il fallait se dépêcher pour ne pas se faire surprendre par une bordée hâtive comme il y en a parfois là-haut. Ma sœur qui y est retournée cet été dit qu'ils ont rasé la forêt. Plus personne ne pourrait y vivre. Anne-Marie, ça lui a brisé le cœur de voir ça. Moi aussi, juste de l'imaginer.

Pour chasser ces idées noires, j'ai ouvert le frigo. Au moins, nous aurons aujourd'hui un menu spécial, qui ne revient qu'une fois l'an grâce à Clément.

Mon frère avait empaqueté mush avec soin dans du papier d'une bonne épaisseur. J'ai coupé les ficelles, déballé la viande. Il s'agissait d'une belle pièce désossée. Maman ne m'avait jamais montré comment cuisiner, mais j'avais appris en la regardant faire.

J'ai rempli une grosse casserole d'eau et l'ai mise à bouillir. La viande cuirait à feu doux pendant trois heures. À la fin, j'ajouterais des patates et des carottes.

En sortant les légumes du frigo, j'ai remarqué un autre paquet enveloppé dans le même papier brun.

Je l'ai pris et l'ai posé sur le comptoir, coupé la corde.

Mon cœur s'est serré. Du museau, la partie la plus tendre de mush. Mon mets préféré.

Maman m'en gardait toujours une part. Voilà donc ce dont parlait Xavier lorsqu'il a demandé si Clément avait apporté ce qu'il lui avait commandé. J'ai empli mes poumons de l'odeur de sang frais.

Pour préparer un museau, il faut brûler les poils et gratter à fond la peau, puis la rincer avec soin. Il faut ensuite retirer la cloison centrale. Très tendre, la chair a des saveurs de sapinage, de sous-bois et de champignon.

J'ai mis le museau à bouillir lui aussi. Bientôt l'odeur de la forêt se répandrait dans l'appartement.

J'ai fermé les yeux et remercié la bête du bonheur qu'elle m'apportait.

Le monde change, mais certaines choses restent : les parfums, les souvenirs, le goût délicat de la viande sauvage. Et le bonheur d'un repas avec lui et nos enfants. Mon clan maintenant.

SAMUEL LAROCHELLE

Les cocos

2 septembre 2017

Une bouchée de mon dessert préféré bouleverse mes papilles. La chair de poule recouvre mon épiderme. Mes oreilles surchauffent. Je ne sais pas si j'ai envie de pleurer ou si je fais une réaction allergique. Je jette des regards à la dérobée, mais personne ne perçoit mon trouble : mon père, ma sœur, ma mère et mon oncle sont captivés par leur propre déglutition. Sans réfléchir, je prends une deuxième cuillérée en attendant de voir ce qui se passe, tel un garçon de sept ans intolérant au cacao, qui choisirait plus ou moins consciemment de tester le destin en croquant à pleines dents dans une barre de chocolat. J'avale le morceau, certain que je ne peux pas en être malade. À trente-six ans, je n'ai toujours pas eux de tracas alimentaires. Je n'ai aucune intolérance connue. Mes excès d'alcool n'ont jamais convaincu mon foie de se rebeller. Et l'un de mes plus grands bonheurs consiste à m'arrêter dans les bouis-bouis du monde entier pour goûter les spécialités locales, sans égard aux mesures d'hygiène douteuses. Pourtant, jamais les trucs étranges que j'ai mangés ne m'ont remué les entrailles autant que la tarte aux pommes de ce soir.

Autour de moi, les membres de la famille Plamondon terminent leur pointe de dessert, comme s'ils étaient indifférents à l'équilibre cannelle-pommes-cannelle-croûte-cannelle qui me bouleverse l'intérieur. Au fur et à mesure que ma deuxième bouchée se dirige vers mon estomac, mes vertiges s'amplifient. J'agrippe fermement la table et je ferme les yeux, lorsque trois mots clignotent derrière mes paupières.

SORS DE LÀ.

: :

D'épais nuages narguent le ciel. J'avance aussi vite que possible, même si les ligaments reliant mes tibias et mes mollets ont pris feu trois coins de rue plus tôt. Je laisse entrer de grandes bouffées d'air, jusqu'à ce qu'un semblant de calme s'empare de moi. Épuisé et transpirant, je m'étends dans un parc pendant que mes idées se replacent.

Je passe en revue la journée pour tenter d'expliquer mon malaise : réveil à cinq heures du matin (rien pour aider…), douze heures de route (j'ai déjà fait pire), personne à qui parler (le bonheur), mix de musique parfait pour un *road trip* (voir parenthèse précédente), avant mon arrivée à La Baie, la ville que j'exècre et que j'évite autant que possible depuis onze ans, lorsque j'ai quitté le Québec pour la Colombie. À la suite de mes nombreux voyages – une année en Australie pour apprendre l'anglais à dix-sept ans, des séjours d'un mois en Europe, en Amérique du Sud et en Asie durant les fêtes, sans oublier ma session à Barcelone dans un programme d'architecture –, j'avais conclu que Bogota était l'endroit parfait pour vivre : effervescente, abordable (durant mes premières années, du moins…), assez sécuritaire pour que le *gringo* en moi ne soit pas intimidé, mais ayant une réputation juste assez mauvaise pour éloigner le tourisme de masse et… mes parents. Ces derniers s'étaient farouchement opposés à mon déménagement « dans un pays où y a plein de meurtres pis de cartels de drogue ».

— Tu vas rester là-bas juste dix, douze mois comme en Australie, hein ? avait lancé ma mère.

— Je vais commencer par un an…, avais-je bredouillé pour calmer le jeu.

Après avoir visité trente-trois pays en huit ans, j'avais envie de construire quelque chose et d'évoluer dans un métier dont la nature était de créer des assises qui traversent le temps.

— Ça veut-tu dire que tu pourrais te marier en Colombie pis élever tes enfants là-bas ? s'était insurgé papa, qui ne cachait pas sa hâte de voir apparaître ses premiers petits-enfants, chaque fois qu'il me parlait ou qu'il voyait ma sœur Sophie, c'est-à-dire au moins une fois par semaine.

Une moyenne tout à fait raisonnable aux yeux de notre père, plein d'allégresse depuis que sœurette s'était acheté une maison dans le quartier de notre enfance.

— Papa, je n'ai plus de blonde depuis deux mois. Avant que je fasse des bébés, y a ben des choses qui peuvent se passer.

Ma réponse n'apaisait aucune de leurs craintes, des plus sérieuses aux plus puériles.

— En t'suka, c'est pas moi qui irais à l'autre bout du monde, ajouta-t-il. Je saurais ben pas quoi manger !

N'eût été les traits physiques que nous avions en commun, mon père et moi étions fondamentalement différents. Il avait pris l'avion une seule fois dans sa vie pour aller en Floride, l'année où j'avais mis le pied sur le dernier continent qui manquait à ma liste. Il s'épanouissait au Saguenay et trouvait La Baie un peu grosse à son goût, alors que je courais les grandes villes du monde en ne me lassant jamais de leurs constructions mégalomanes. Et contrairement à moi, il ne pouvait pas se passer très longtemps de la nourriture nord-américaine, et surtout québécoise. La fleur de lys tatouée sur l'estomac, papa mange et cuisine presque toujours local. Entrée, repas, dessert.

Comme cette tarte aux pommes qui fait valser mes souvenirs. Celle qu'il a concoctée ce matin en sachant que ça demeure mon dessert préféré, même si je n'en mange qu'une fois tous les trois ans, durant les fêtes, lorsque j'utilise une partie de mes économies pour m'offrir un cadeau que je ne désire pas : retourner au Saguenay. Un voyage que j'avais évité en décembre dernier, prétextant que j'avais quitté la Colombie pour aménager à New York il y a seulement trois semaines, que mes patrons me faisaient beaucoup travailler, que j'allais profiter de mes jours de congé pour aménager mon appartement et me reposer. Une décision qui a choqué mes parents, persuadés que mon déménagement dans le nord des États-Unis allait augmenter la fréquence de mes visites. Depuis, chaque mois, ma mère invente un nouvel argument pour me convaincre de faire un tour : « Ta sœur a un nouveau chum, ce serait l'fun de lui présenter toute la famille. » ; « Tu croiras pas comme la ville a changé depuis quatre ans, viens donc voir ça. » ; « Ton père va prendre sa retraite au début septembre, j'aimerais ça qu'on soit réunis pour célébrer. » Sa dernière tentative, additionnée à la fatigue mentale que j'avais accumulée depuis près d'un an, m'a fait flancher. Après m'être réveillé à l'heure où se couchent d'innombrables fêtards new-yorkais, j'ai traversé la frontière et je suis arrivé en avance pour le souper. Tout se déroulait relativement bien jusqu'à ce qu'un amas de pommes, de pâte et de cannelle provoque quelque chose que je n'arrive pas à identifier.

Je déambule dans le parc de mon ancienne école primaire. Je perçois chaque parfum avec une acuité décuplée : les brindilles du gazon coincées entre mes doigts, la rosée du milieu de soirée, le denim de mon pantalon ranimé par ma transpiration et toutes ces fleurs dont je n'ai jamais voulu me souvenir du nom. Ces effluves m'apaisent. J'observe le ciel qui se dégage, gris bleuté de fin de soirée, en ayant l'impression que les nuages ne sont pas à la même hauteur que ceux de New York et de Bogota. Comme si le parallèle où se trouvait La Baie offrait une perspective différente sur le monde. Une sorte d'immensité qui m'enveloppe comme un édredon en pleine tempête.

Après environ une heure à me perdre dans ma mémoire, je retourne à la maison. Dans l'entrée, une petite note m'attend sur le mur :

Si tu t'ennuies de nous un peu, on est au chalet.
J'ai acheté de la bière comme t'aimes.
Papa

Mon père ne comprend pas ce qui m'arrive. Il sait seulement que son garçon a fui la salle à manger avant la fin du repas, comme il a fui la région quelques jours avant ses vingt-cinq ans. À l'aéroport, il m'avait remis un paquet dans lequel se trouvaient un crayon, une carte postale affranchie illustrant une vue aérienne de La Baie et un mot :

Si jamais tu t'ennuies, tu nous écriras.
Et tu penseras à la maison...
Papa

Jamais je n'ai dit à mon père que son cadeau avait effacé mon angoisse à l'idée de m'établir pour de bon dans un nouveau pays. L'image de la carte postale illustrait exactement ce que je voulais quitter : ma ville natale, le fjord du Saguenay et les montagnes qui l'encerclent, un trou dans lequel je refusais de rester emprisonné. Je ne fuyais pas mes parents. À l'exception des remous de mon adolescence, aussi prévisibles que passagers, notre relation avait toujours été bonne. Mais cela ne changeait rien. Je devais par-dessus tout m'éloigner de leur maison et de la région. Le plus longtemps possible.

: :

En l'absence de mes parents, j'analyse les lieux de mon enfance et je constate que rien n'a été transformé ni déplacé. Un psychanalyste de pacotille dirait sûrement que ma mère et mon père conservent l'état des lieux tels qu'ils étaient à l'époque où nous habitions tous les quatre sous le même toit, afin d'interrompre le temps. Je crois plutôt qu'ils n'ont pas besoin de mieux ni de différent pour être heureux. Mes parents font partie de ces humains qui n'attendent rien d'autre de la vie qu'un travail, un conjoint et une propriété leur offrant confort et sécurité.

Je me dirige vers la chambre de mes parents. J'entre dans le *walk-in* pour vérifier si ma mère possède encore deux fois plus de vêtements que mon père. Je fouille parmi les cravates de papa pour retrouver celle qu'il m'a prêtée lors de ma graduation au baccalauréat, en me souvenant de la fierté qui tapissait son regard quand il a vu le premier membre de la famille Plamondon obtenir un diplôme universitaire. Il était loin de se douter que ce papier permettrait à son fils de travailler ailleurs dans le monde et d'avoir les habiletés pour dessiner un plan de vie excluant ses propres fondations.

Je fais le tour de la maison avec l'étrange impression d'apprécier mon retour. Une petite voix me suggère même de rejoindre ma famille au chalet. Il est bientôt dix heures et ma sœur est sûrement occupée à préparer les guimauves et les saucisses à griller sur le feu. J'enfile mes vieilles chaussures de course qui traînent encore dans un coin de l'entrée, je sors en trombe et je roule vers le lac en me rappelant le trajet comme si je l'avais tracé.

En sortant de la voiture, le pas léger, je marche à peine trois mètres avant que la semelle trop lisse de mes vieux souliers m'apprenne qu'on peut réellement glisser sur quelque chose, voir ses pieds monter à la hauteur de ses yeux et retomber au sol, sans être un personnage de dessin animé mis sur le carreau par une pelure de banane ! En moins de temps qu'il n'en faut pour expliquer la différence entre le Saguenay et le Lac-Saint-Jean, j'atterris brutalement sur le dos, accompagné d'un grand bruit de verre cassé : la bouteille *vintage* dans laquelle j'ai versé du lait pour accompagner les restes de tarte apportés dans un sac.

— Doux Jésus! crie maman en se précipitant vers moi. Es-tu correct?

Le souffle coupé, je suis incapable de répondre. On dirait que mes omoplates poussent sur ma trachée ou je ne sais trop. Je hoche la tête de gauche à droite avec difficulté, tâchant de reprendre mes esprits.

— Qu'est-ce qu'il y a? relance-t-elle. Tu t'es coupé? Où t'as mal? Dis-nous où t'as mal!

À peu près certains qu'aucune goutte de sang n'a quitté mon corps, je m'ordonne de me relever et d'accueillir les filets d'air qui tentent de se frayer un chemin. Mais rien n'y fait. Je fixe un point devant moi, à la recherche d'une solution. Mon oncle me tient par le bras et ma mère s'affole.

— Philippe, respire! Essaie de dire quelque chose!

Je bouge le haut du corps d'à peine deux centimètres, lorsqu'une douleur grosse comme un poing s'abat dans mon dos. La sensation est aiguë, mais je m'en fous. Je suis trop concentré sur ma respiration pour me laisser distraire.

— Arrête de parler! dis-je à ma mère, après avoir absorbé une volute d'air.

Je toussote comme un fumeur qui s'est offert une cigarette de trop. L'oxygène reprend ses droits.

— Ça v… ça va aller, formulé-je avec peine.

Une minute plus tard, mon père se joint à nous. Ignorant ce qui vient de se produire, il pose un regard amusé sur la mare de lait, les fragments de verre et les morceaux de tarte répandus au sol.

— Je vais finir par croire que t'as changé de dessert préféré, pis que tu sais pas comment me le dire…

Derrière sa blague, je perçois un réel souci de papa poule.

— Ben non! rétorqué-je pour le rassurer. J'ai apporté ce qui restait pour le manger avec vous autres.

— Tsé, c'est correct si une p'tite Colombienne a déclassé ton vieux père avec sa nourriture, répond-il en m'ébouriffant les cheveux comme si je n'avais jamais grandi.

Maman lui fait de gros yeux.

— Remets-y pas dans tête de retourner vivre dans le Sud, Richard !

— Y a aucune chance que je retourne vivre là-bas, dis-je avec une assurance qui me surprend moi-même. Je pense que j'ai fait le tour...

— Bon ! glisse mon oncle. Parle-moi de ça, des bonnes nouvelles !

Ma sœur nous rejoint avec ses airs d'institutrice.

— Si vous voulez qu'il vous reste deux, trois guimauves, vous feriez mieux de venir vous asseoir.

Je lui souris avant de renchérir :

— Es-tu en train de me dire que 'man a arrêté de stocker de la bouffe en cas d'attaque nucléaire ?

Ma mère a toujours craint que nous ne mangions pas à notre faim, résultat d'une enfance où ses repas quotidiens étaient rarement multipliés par trois. En mariant un amoureux de la cuisine, elle s'était assurée n'être pas contredite dans sa maison quant à ses manies de réserves. Encore aujourd'hui, je me demande comment ma sœur et moi avons fait pour ne pas devenir des obèses morbides avant d'entrer au secondaire. Sœurette misait visiblement sur un métabolisme extraterrestre, alors que je m'en suis probablement tiré en fuyant la maison à tout bout de champ pour aller marcher ou faire du vélo pendant des heures.

— Je m'excuse pour ce que je t'ai dit tantôt, chuchoté-je à l'oreille de ma mère, près du feu.

— Ben non, ben non. Je t'aidais pas pantoute en paniquant. Je suis juste contente que tu sois là.

Sa réponse a sur moi l'effet d'une caresse. Mes parents ne ratent jamais une occasion de me dire à quel point ils apprécient ma présence. Sans retenue. Sans censure. Sans réfléchir. Puisqu'ils ont accumulé trop de mots doux et de mains dans les cheveux, ils en profitent pendant que je suis là, craignant que je parte plus vite que prévu et que je ne revienne pas avant des années.

En retrait, mon père nous observe, pendant que son indéfectible fille et son frère préféré s'amènent avec les victuailles. J'aperçois son sourire de contentement et ma gorge se serre. Je comprends soudainement la tristesse qui les habite depuis mon départ. Je détourne le regard, je ravale mes larmes et j'offre un sourire composé au quatuor qui s'assoit près des flammes.

J'essaie de vouer mon attention au grillage de mes guimauves, mais je n'y arrive pas. La radio crache une musique qui amplifie mon malaise toutes les quatre minutes. Nos discussions de feu de camp sont bercées par Éric Lapointe et sa *Terre promise*, la reprise d'un classique de Richard Desjardins par un chanteur de Star Académie et les trémolos de Mario Pelchat, qui pleure dans la pluie. Je pourrais me vautrer dans la nostalgie et m'amuser de l'émoi que le chanteur de charme provoque chez ma mère, mais je suis trop occupé à avoir honte. Honte d'avoir levé le nez sur la musique commerciale qu'on passe en boucle pour convaincre les gens de l'aimer et d'en redemander. Honte de les avoir jugés avec une constance irréprochable depuis des années. Honte d'avoir consacré autant d'efforts à identifier ce qui nous différencie plutôt que ce qui nous rassemble. Honte d'être pris entre l'envie de les accepter comme ils sont et le réflexe de les regarder de haut…

Une part de moi a souvent pensé que ma famille, mes voisins et l'ensemble des gens du Saguenay et de la province étaient l'incarnation du « petit monde » : des peu éduqués, des mal-nés et des non-conscientisés, trop peu outillés pour exiger autre chose que ce qu'on a prémâché pour eux. Néanmoins, chaque fois que je les vois, ils me confrontent avec leur bonheur simple qui semble les combler mille fois plus que ma propre existence. Depuis mon enfance, j'analyse leurs travers, en fermant les yeux sur ce que j'apprécie d'eux : leur bonhomie, leur chaleur, leur bonté, leur générosité. Comme eux, je regarde uniquement ce que je veux voir pour être certain de ne jamais remettre en question ce que je pense avoir compris du monde. Je consacre mon attention à ce que je n'aime pas des autres, plutôt que de constater à quel point je ne m'aime pas, moi. Je me fuis à l'étranger. Je m'essouffle à coups de douanes et de frontières. Tout pour éviter ce que je vois pointer à l'horizon depuis des années. Le mur. Lorsque la vie m'obligera à contempler le lieu où mes racines sont nées, avant que je décide de les charcuter.

Ce que j'appréhende depuis des années se concrétise peu à peu. Mes sens se liguent contre moi. Les saveurs, les odeurs, les doigts dans les cheveux, les vieux succès radio et l'émotion dans les yeux de mes parents me font voir qui je suis vraiment: un homme qui avance à tâtons dans le brouillard de ses mensonges. Ceux auxquels je m'accroche comme à une bouée, au lieu d'analyser pourquoi je n'arrive pas à me trouver. Au fond, je suis le seul responsable du naufrage de mon existence. Dix ans après avoir eu l'impression de me poser, je réalise que je n'ai jamais su comment m'ancrer. Parce que tout ce temps, le problème n'était ni mes parents ni les habitants de ma région, mais l'homme que j'étais dans cette région et qui continue d'exister. Un homme qui préfère repousser l'Autre plutôt que de s'embrasser lui-même. Un citoyen du monde qui n'assume même pas d'où il vient…

: :

Le réveille-matin sonne, et je réalise que Morphée m'a tenu en otage pendant douze heures. Je viens de dormir plus profondément qu'au cours des dix derniers mois, voire des quinze dernières années! En m'étirant jusqu'à la fenêtre, j'aperçois une table à pique-nique multicolore: le bleuté des assiettes, l'orangé des mimosas, le rouge vin charcoalisé du bacon, la dorure des crêpes, le blanc éclatant du fromage en grains de la fromagerie Boivin, le bleu des petits fruits les plus célèbres de ma région et le brun des patates rôties. Je vois ma sœur et celui qui semble son amoureux se bécoter à l'ombre, pendant que mon père fait cuire des tranches de pain doré. Je n'ai qu'une envie : les retrouver.

— Philippe ? dit ma mère en cognant à la porte. Veux-tu des cocos ? Je vais aller te préparer ça.

Des cocos. Cinq petites lettres dans lesquelles se résume toute son affection maternelle.

— Oui ! Mais je peux me les faire. J'arrive dans une minute.

— Ben non, ça me fait plaisir. Je te les fais tournés, crevés, comme t'aimes.

J'ai le cœur qui tangue en constatant que maman se souvient de ces détails. Comme si je n'étais jamais parti. Comme si je n'étais pas un garçon ingrat qui les avait visités seulement trois fois en dix ans. Comme si j'étais aussi important qu'avant. Quand j'étais enfant. À cette époque où tout était un peu plus léger. Cet âge où je me réveillais en été avec une envie, puérile et nécessaire. Celle qui me trouble ce matin avec la même intensité qu'avant. En deux temps, trois mouvements, je me change, dévale l'escalier du balcon et me lance dans la piscine, sans égard pour les courbatures dont j'ai hérité la veille.

Le choc !

Mon cœur s'arrête d'un coup. Comment ai-je pu oublier que la température d'une piscine saguenéenne en septembre n'a rien de comparable à celle de la mer en Colombie ? Qu'à cela ne tienne, je sors en vitesse pour me sécher et m'habiller, avec un sourire inaltérable. Je ne me suis pas senti aussi bien depuis une éternité ! Probablement depuis ma première année à Bogota, quand je savourais le soulagement de quitter le Saguenay, l'excitation de recommencer ma vie et la joie de poser ma valise. Une posture intérieure qui avait perdu de sa solidité chaque année pendant dix ans, jusqu'à ce que je donne un électrochoc à mon existence : direction New York ! Après une décennie à profiter de la renaissance de la Colombie pour mener des projets variés et stimulants, je sentais que ma carrière stagnait. Et comme ma vie personnelle n'était pas assez solide pour compenser, j'ai eu besoin d'un nouveau terrain de jeu. Rapidement, je me suis trouvé un poste dans une firme d'architecture qui m'a surchargé de projets. Je consacrais au moins douze heures par jour au bureau. Un énorme contraste avec mes anciennes habitudes. Malheureusement, la charge de travail n'était pas mon seul souci. Les semaines passaient, et je n'arrivais toujours pas à faire mon nid dans ma nouvelle ville. Pendant des mois, j'ai tenté de comprendre ce qui m'arrivait en me posant mille questions : la capacité d'adaptation de l'humain décline-t-elle après trente-cinq ans ? Me suis-je habitué au rythme de vie sud-américain au point de ne plus pouvoir apprécier le tourbillon new-yorkais ? New York génère-t-elle elle-même cet inconfort qui me suit partout ?

Les fesses sur la table à pique-nique de mes parents, j'observe ma mère qui donne une tape sur les hanches de mon père pour utiliser la plaque chauffante. Elle fait cuire mes œufs avant de nous rejoindre à table. Ma sœur propose un toast à la retraite de mon père. Nous levons nos verres en entrecroisant nos regards. Lorsque je prends ma première gorgée de mimosa, une drôle de sensation s'installe dans mon œsophage. La chair de poule chatouille chaque millimètre de mon épiderme. Mes oreilles brûlent. Mais cette fois, je n'envisage ni la crise d'allergie ni l'étouffement. Je crois savoir ce qui m'arrive. Un avertissement. Une réponse. J'analyse ce qui se déroule en remplaçant mes jugements par une douce impression de satisfaction. Aucun événement grandiose n'est en train de se produire. Rien ne laisse présager qu'un vent de nouveauté transformera ma famille ou ma région, mais pour une fois, je m'en fous ! Je suis entouré d'une nature aux effets thérapeutiques, attablé devant un festin réconfortant et j'essaie d'apprivoiser cette chose étrangement agréable qui s'incruste dans ma tête.

— On dirait que je viens d'avoir une idée…, dis-je pour obtenir l'attention de mes proches. Je pense que je vais demander un congé sans solde à mes patrons !

Mes parents ont les yeux gros comme des billes. Ma sœur exprime quelque chose entre la surprise et l'effroi, convaincue que je ne peux me valoriser ailleurs qu'au travail.

— En quel honneur ? demande mon père. Tu viens d'arriver.

— Pis t'arrêtes pas de dire que tes patrons t'en demandent trop, ajoute ma mère. Ça m'étonnerait qu'ils te laissent faire.

Son observation me fait l'effet d'une décharge électrique.

— Attendez-moi deux secondes, marmonné-je avec un éclat de malice au fond des yeux.

Je m'éloigne avec mon iPhone, parce que maman a horreur qu'on joue avec nos gadgets à table.

J'ouvre ma messagerie. J'envoie trois petites phrases en direction de Manhattan. Je souris devant mon écran, dos à eux. Et j'ajoute :

— Je pense que je viens de démissionner…

— Quoi ? s'écrie ma sœur. Comment ça, tu penses ?

— Ben, je veux dire, mes patrons vont lire mon message dans les prochaines minutes…

Je réalise à peine ce que je viens de faire, mais chaque seconde confirme mon geste.

— Pourquoi t'as fait ça ? lance mon père. Tu disais que c'était la job de tes rêves pis que tu ne serais jamais parti de Colombie sans ça !

Je suis officiellement le gars qui a la moins bonne lecture de lui-même.

— Faut croire que j'étais dans le champ ! répondis-je en éclatant de rire.

— Mais là, qu'est-ce que tu vas faire ?

Ma sœur n'arrive pas à contenir son excitation.

— Honnêtement, je le sais pas ! répliqué-je en constatant à quel point l'absence de réponse me faisait du bien. Vous diriez quoi si je restais ici ?

Mon père s'étouffe presque avec ses petites patates. Ma mère pose une main sur mon bras.

— Tu pensais à quoi ? demande-t-elle étonnamment calme.

Je vis depuis des mois dans une ville qui ne me ressemble pas, à m'épuiser dans un emploi supposément taillé sur mesure pour moi. Je ne sais plus de quoi j'ai besoin. J'aime encore passionnément l'architecture, mais j'ignore si je peux être stimulé par mes projets, en ayant une véritable qualité de vie.

— Je sais pas trop. Je pensais commencer par une semaine…

À chaque seconde qui passe, je réalise à quel point je ne veux plus de cette vie : les semaines de soixante-dix heures, la ville tourbillon, la vie sociale qui se résume à mes collègues et mes patrons, et cette sensation, sournoise et cruelle, de vieillir en passant à côté de l'essentiel.

— Peut-être que ça va me faire du bien de rester ici plus longtemps…, ajouté-je du bout des lèvres.

Cette probabilité m'effraie autant qu'elle m'apaise. Je ne peux faire autrement que d'assumer l'évidence : j'ai besoin d'une longue pause. Pour me trouver. M'apprivoiser. Et me reconstruire. J'ai envie, non j'ai besoin d'être là pour eux, avec eux, aussi souvent que possible. Pas au détriment de l'ailleurs et de la nouveauté. Ni en reniant tout ce que j'ai vu et vécu à l'étranger. Mais en faisant peu à peu la paix avec ce que j'ai mis tant d'efforts à repousser, question d'avoir l'espace nécessaire pour identifier ce que je cherche.

— T'es le bienvenu aussi longtemps que tu veux ! dit ma mère avec son sourire des grandes occasions.

ERIKA SOUCY

Un mirage à Malaga

Les rues en marbre de Malaga font crisser les pneus des taxis qui n'en ont rien à foutre de la courtoisie et du code de la sécurité routière. Le soleil frappe, le thermomètre affiche un nombre que je ne crois toujours pas humainement supportable. C'est le nombre qu'indique aussi mon four quand je veux garder une tarte au chaud le temps qu'on finisse le plat principal ou que le café soit prêt, les après-midi d'automne. La température de Malaga en été sert les pâtés uniquement.

Nous venons d'être pris d'assaut par deux femmes qui voulaient nous vendre des cossins et nous faire les poches. Tandis que l'une lui demandait d'ouvrir son portefeuille pour se faire payer le collier qu'elle venait de lui mettre dans le cou, l'autre me parlait très vite en pointant dans toutes les directions. Je me suis rappelé la formation express que j'ai suivie à quinze ans, avant mon premier voyage en Europe : il faut craindre les pickpockets, ils possèdent mille trucs pour nous prendre nos affaires. Je ne sais pas comment, mais j'ai réussi à ce qu'elles nous foutent la paix. J'ai dû être impolie.

Dans l'entrée d'un cinéma fermé, le seul coin d'ombre un peu en retrait, on constate que le compte est bon : rien ne nous a été volé au pied du château du Gibralfaro dans le centre historique de Malaga. On en profite pour affirmer aussi qu'un bébé de quatre mois dans un sac ventral ne nous met à l'abri de rien.

Qu'est-ce qu'on peut faire maintenant, en Andalousie un après-midi d'août, quand nous sommes de vrais touristes qui réfutent l'importance de la *siesta* ?

« La terrasse devant nous est ouverte. »

La terrasse devant nous est vide et elle offre un parasol à presque toutes ses tables. La terrasse devant nous est une île sur laquelle on s'échoue le temps que le soleil tombe en *break* ; qu'il fasse comme les autres, qu'il sieste l'après-midi !

J'ai appris *cerveza* et *agua* le deuxième jour du voyage. La base. N'importe qui se rendant en Espagne sait ça avant de partir, mais j'ai pris Italien au cégep comme cours de langue optionnel parce que je refusais de faire comme tout le monde et d'apprendre l'espagnol. *Cerveza* et *agua* sont commandées au serveur qui ne veut pas sourire, mais on s'en fout, parce que le bébé ne pleure pas et que le parasol est une grande invention.

Le serveur a laissé la carte. Dedans : le jambon ibérique en quarante-cinq façons. C'est merveilleux, c'est bon, mais tous les jours à deux repas sur trois, c'est trop d'ibérisme pour les Québécois que nous sommes.

On n'a pas faim tout de suite, mais nos verres arrivent quand même avec un petit bol d'olives.

La *cerveza* est bonne, sauf qu'on se demande ce qu'on en sait, au fond. Nous avons tellement soif, nous avons tellement besoin de fraîcheur que n'importe quelle bière froide nous produirait le même effet. On nous sert peut-être l'équivalent d'une Bud Lime. On s'en fout et on *cheers*.

— À notre lune de miel !

— En famille !

La détente s'installe, et j'essaie de cesser de maudire ces deux femmes qui sont sûrement mères, elles aussi. Elles veulent peut-être simplement s'offrir une vie à la hauteur de l'amour qu'elles ont pour leurs enfants. Leurs enfants qui n'ont pas le luxe de dormir dans un sac ventral, en voyage, sur une terrasse de Malaga.

— Ta dernière phrase sonne un peu bourgeois...

— Ça doit être la chaleur...

Je prends l'olive qu'il me tend avec les pinces. Je n'en raffole pas, mais je me dis que c'est comme avec les cornichons : je n'aimais pas ça, je m'y suis faite, maintenant j'aime bien. Je mets l'olive dans ma bouche.

Je ne suis pas douée pour dire ce qui se traduit bellement par onomatopées. Des «Ah!», des «Mmm...», des «Oh wow!». Cette olive n'existe pas dans le monde où l'on vit, cette olive n'est pas digne de mes papilles d'ignare, cette olive... J'aurai vécu pour en connaître le goût et la fraîcheur, pour en sentir la texture dans ma bouche; une olive si croquante et légère, se déployant en flocons quelque part entre ma langue et mon palais.

Je ne peux plus parler quand il en goûte une à son tour et que ses yeux deviennent ronds, d'un coup.

Je pense aux oliveraies qu'on a croisées en train. Des îlots de vert au milieu des roches rouges et du sable. C'était comme un mirage dans ce décor de films de cowboys. Les larmes me montent aux yeux.

Il y a des choses dans l'habitude qu'on peut aimer et haïr à la fois. La répétition offre des repères, une accoutumance, un confort; mais on ne goûtera jamais l'extase qu'une seule fois. Cette olive, je la voudrais souvent, chaque fois que j'en aurais envie. J'aimerais pouvoir me rendre au marché et en acheter des fraîches, des vraies comme celle-ci, mais je ne pourrai jamais retrouver ça chez nous.

— Et c'est ce qui est beau!

— Je sais...

— Il va falloir revenir.

— À l'hiver, cette fois-là.

GENEVIÈVE LEFEBVRE

El hambre de mi corazón

— Qui ?

La ruche du bureau de production cesse de bourdonner. Dans un silence parfait, tous les regards se tournent vers Ingrid. La petite nouvelle va se faire dépecer vivante par la boss, la meute attend la curée.

— Amerigo Baylon, répète Carole. Tu ne sais pas c'est qui... ? !

Ingrid repousse ses lunettes noires sur la jungle de ses cheveux en bataille. N'importe quoi pour gagner quelques secondes sur la panique. Fred l'a prévenue : « Ils vont te traiter comme une esclave, t'auras pas le temps de pisser, pas le temps de manger, et personne ne se rappellera ton nom, mais c'est cinq jours de boulot, et tu seras bien payée. »

Payée.

C'est le seul mot qu'elle a retenu. Ce travail lui gagne des réserves d'*acrylic golden,* de toiles et d'encres, deux mois de répit sur l'angoisse, deux mois à peindre sans avoir faim. Pas question de les perdre parce qu'elle ne sait pas qui est cet inconnu à qui elle doit servir d'esclave.

— Je sais c'est qui.

— Tu as vu *Rebeldes* ?

Dans l'appartement d'Ingrid, il n'y a pas de télévision. Elle pirate l'internet du café d'en bas, accroupie sur le balcon qui tangue pour avoir le signal, et tout ce qu'elle possède pour cuisiner, c'est un vieux poêlon et, pour les pâtes, une casserole d'aluminium qui lui donnera le cancer; regarder une émission de cuisine lui semble non seulement surréaliste, mais un acte de masochisme délibéré.

— J'ai vu toutes ses émissions.

— Meilleure table d'Europe, alors que Séville était même pas sur la map gastronomique. Il a fucking *détruit* Noma.

Ingrid ne sait pas qui est Noma, mais elle retient l'essentiel: la directrice de production qui signe son chèque a des orgasmes quand elle parle de destruction. Il faut échapper au carnage.

— Tiens, lui dit Carole en lui remettant un cahier bleu relié, tout est là-dedans: son horaire, les adresses, ses préférences, tout. Tu le prends en charge de la seconde où il sort des douanes et tu ne le lâches pas avant qu'on le remette dans son avion dimanche soir. Gigi va te donner les clés de la voiture et une petite caisse pour tes dépenses s'il veut quelque chose. Si ça dépasse ça, tu nous appelles.

Ingrid s'empare du cahier de production et s'éloigne en direction du bureau de Gigi. La voix nasillarde de la directrice de production l'arrête.

— Ingrid.

— Oui?

— Entre douze soumissions, c'est nous qu'il a choisis pour son épisode à Montréal. T'as pas droit à l'erreur.

— Je sais.

— Tu parles espagnol pour vrai, au moins?

Por la puta que le parió, cállate, perra, o te mato[1].

: :

En poussant les portes tournantes du hall des arrivées, Ingrid est assaillie par un direct au ventre: l'odeur du gras et du sucre

---

1. Farme ta yeule, fille de pute, ou je te tue.

des beignes de Tim Hortons. Elle n'a rien mangé depuis la veille. L'autre jour, son amant d'un soir lui a demandé quel régime elle faisait pour avoir un corps aussi découpé.

Je fais le régime sec, lui avait-elle répondu avant d'enfiler son jean sur son *frame* de chatte de ruelle. Celui où t'achètes que des trucs dont personne ne veut : les fruits pourris, les légumes défraîchis et le poulet boosté aux hormones périmé garanti salmonelle.

Comme il avait déjà joui, son amant n'avait pas pris la peine de relever le sarcasme. Il aurait fallu s'occuper des carences, les alimentaires et les affectives, et ç'aurait été trop d'efforts pour une baise d'une heure. Ingrid s'était éclipsée en lui piquant un limonadier, une poignée de pièces de monnaie et une pêche. *Quid pro quo.*

Le bois du limonadier bien présent contre l'os de sa hanche dans la poche de son jean, Ingrid guette l'arrivée des premiers voyageurs du vol 749 en provenance de Madrid. Ils poussent leurs bagages obèses, escargots angoissés à l'idée qu'ils puissent manquer de quelque chose en terre étrangère.

Ingrid a chaud, faim et soif. Elle n'ose pas s'éloigner, de peur de rater Amerigo Baylon. Alors elle fait du déni de sensations, spécialité dont elle est la championne, et elle attend l'homme qui lui garantit deux mois de survie. Elle a eu le temps de le googler. De lui, elle sait tout ce qui alimente sa légende : le père soudeur, la mère vendeuse maraîchère dans les marchés publics, la jeunesse délinquante dans la banlieue sévillane, le bas de l'échelle à la plonge d'un petit restaurant et l'ascension, fulgurante, dans la jungle de la haute cuisine. Amerigo Baylon s'était imposé avec un canard aux pêches caramélisées qu'il terminait en dorant la peau du volatile à la torche. Un vieux critique, éperdu de désir pour le jeune chef andalou, avait qualifié cette invention de « sulfureuse ». Et le monde entier s'était emballé pour la cuisine pornographique d'Amerigo Baylon.

Après, bien entendu, étaient venus les avantages de la gloire : les liaisons avec les actrices, toujours plus cinglées, les provocations à la presse, toujours plus choquantes, les plongées en apnée, toujours plus profondes. Ultime consécration : on lui avait offert sa propre émission de télévision. Amerigo le Rebelle parcourait maintenant le monde en quête des nouveaux *bad boys* de la gastronomie, tous plus tatoués les uns que les autres. Quelque part entre un altermondialiste néovegan de San Francisco devenu roi du seitan engagé et un narcotrafiquant colombien qui blanchissait l'argent des cartels en révolutionnant l'art des tamales, quelqu'un avait mentionné la gastronomie rustico-sanguinaire d'Édouard, un fils à papa montréalais qui saignait lui-même les cochons qu'il servait aux clients du Ed's Kitchen, restaurant à l'éclairage déficient, situé dans un ancien local des Hell's de l'ouest de la métropole.

Ingrid n'a jamais mangé de canard rissolé à la torche, son corps blême n'arbore aucun tatouage et la scandaleuse précarité de sa vie n'intéresse personne, mais ce jour-là, en attendant l'homme de la légende andalouse, elle se dit qu'elle devrait peut-être s'offrir un scandale sulfureux, histoire qu'un galeriste s'intéresse enfin à son travail.

Et puis, comme une apparition, il est devant elle : Amerigo Baylon. La jambe longue dans le jean défraîchi, le regard dissimulé derrière les Ray-Ban aviateur, le visage tout en angles arrogants et en attitude abrasive, un bagage à main à l'épaule, il est là.

Te puedo dar mi soledad, mi oscuridad…[2]

Les mots de Borges surgissent, en bulles de lait bouillant, si souvent chuchotés à son oreille par sa grand-mère. Cristina l'Espagnole, à l'étreinte indulgente et à la peau transparente d'usure, et dont le haut fait d'armes gastronomique avait été le pain de mie parfaitement beurré dans le coulant jaune de l'œuf mollet. Dans le nuancier de couleurs Pantone, ce jaune à couleur d'amour porte

---

2. *Je peux t'offrir ma solitude, mes ténèbres…*

le nom de « Process yellow C ». Il n'y a qu'à ceux qu'on aime qu'on prépare des œufs mollets et des tartines de pain de mie, beurrées à la perfection.

... *el hambre de mi corazón*[3].

— *Señor Baylon, soy Ingrid de la producción. Encantada.*
— *Hola.*
La main est sèche, la voix fatiguée.
— *¿ Tienes hambre*[4] *?*
— *Tengo sed.*
Soif.
Il va à la fontaine. Ingrid le regarde se rompre le corps en deux pour atteindre le jet d'eau. Déjà elle le dessine en Don Quixote. Il essuie sa bouche du revers de sa chemise, comme un gamin mal élevé qui se fiche de se salir.

Il a des bonnes pour laver son linge.
Dehors, Baylon hume l'air de Montréal, en quête d'une odeur ; *un sanglier en quête de truffes.* Ingrid lui fait signe d'attendre.

— *Espérame.*
Il hoche la tête, s'allume une clope. *Il se bousille l'odorat et les papilles,* se dit Ingrid, reconnaissant le parfum familier du sabotage. *¿ Por qué ?*

Dans l'antre sombre du stationnement, Ingrid sent un vertige l'envahir : la tête qui tourne, la vision qui vacille, les jambes en coton. *Shit.* Devant elle, un enfant roux abandonne sa pizza sur le capot d'une voiture. Avant même de réfléchir, Ingrid ramasse la pizza, mouette voleuse de restes abandonnés par des humains qui bouffent trop. Ne pas perdre connaissance.

À l'abri d'une colonne de béton, elle avale la croûte blanche, le fromage raidi, la pâte de tomate rance. Sa gorge en parchemin lui

---

3. La faim de mon cœur.
4. Tu as faim ?

fait regretter de ne pas avoir bu à l'eau de la fontaine. Une voiture passe à sa hauteur. Le regard de l'enfant roux se pose sur elle, la bouche pleine, surprise en flagrant délit d'indigence. Ingrid sent les flammes de l'humiliation lui monter aux joues.

Crisse de faim à marde.

: :

Dans la voiture, Ingrid se concentre sur la route pour oublier la présence d'Amerigo à quelques pouces d'elle. Il porte un parfum de miel et d'orange, un parfum de gâteau d'après-midi, qu'on mange en laissant des miettes partout. Il fait trop chaud dans cette voiture, se dit-elle en poussant la clim'.

Demasiado caliente[5].

Don Quixote de la Mancha est au téléphone depuis qu'ils ont quitté l'aéroport. Malgré l'oreillette, Ingrid entend les cris de sa femme, qui se lamente et qui exige. Il ne répond pas, mais Ingrid peut l'entendre crier.

Cállate.

Il parle ensuite avec une Esmeralda à qui il répète qu'il ne peut pas quitter sa femme. Pas tout de suite, pas avant que les enfants… tu comprends, les enfants…

Les enfants, ces paravents qui justifient toutes les lâchetés. Esmeralda, sálvate[6].

Et il y a tous ces appels où on lui propose des contrats lucratifs, qu'il refuse les uns après les autres, il y en a trop, il n'a pas le temps, il dit «no, no, no» avec l'impatience d'un enfant qu'on force à finir son assiette.

Ce n'est pas un homme, c'est une oie qu'on gave. À Noël, il sera sacrifié pour son foie gras, tant pis pour l…

---

5. Trop chaud.
6. Sauve-toi.

Amerigo vient de balancer son téléphone par la fenêtre de la voiture. Un mois de loyer fracassé sur le bitume de l'autoroute Ville-Marie. Dans la bouche d'Ingrid, un goût de boudin, sans les pommes. Elle s'est mordue au sang.

À ses côtés, l'Andalou retire son fin chandail de mérinos, dévoilant un t-shirt des Ramones et une peau mate de pain d'épices. Malgré la fenêtre ouverte, il y a toujours cette odeur d'orange qui monte à la tête et qui donne envie de mordre.

— *No estás tatuado[7]*, dit-elle.

— *No quiero ser identificado.*

Je ne veux pas être identifié. Les mauvais garçons ne veulent pas laisser de traces.

— *Estás tatuada[8].*

— *¿ Yo ? No.*

— *Sí. Tienes tinta en las manos[9].*

Ingrid voudrait pouvoir cacher ses mains, rêches et tatouées d'encre noire malgré le savon, vestiges de sa dernière toile ; *Espíritu libre,* une galopade équine saisie au vol.

L'espace d'une seconde, elle imagine ses mains quitter le volant, et son pied qui se ferait pesant sur l'accélérateur ; le muret de ciment les prendrait tous les deux dans ses bras durs.

Quelques minutes plus tard, Ingrid laisse Amerigo devant son hôtel du Vieux-Montréal. Il ramasse son sac et se tourne vers elle.

— *Mañana, al mediodía[10].*

— *Al mediodía, sí.*

---

7. Tu n'es pas tatoué.
8. Toi, tu es tatouée.
9. Oui. Tu as de l'encre sur les mains.
10. Demain midi.

Elle le regarde s'éloigner vers l'hôtel, s'imprégnant de l'angle d'une hanche, du déboîté de l'épaule qui retient le sac. C'est un homme à dessiner au crayon dur. À peine gras.

: :

La production lui a donné de l'argent liquide, une petite caisse en cas d'imprévu. Du papier tout-puissant qui lui brûle le ventre. Elle pourrait se faire une épicerie monstre chez Constantino, le portugais du coin, et mettre ça sur un caprice signé Amerigo Baylon.

Ingrid pousse la porte de l'endroit où elle entre si souvent sans avoir les moyens de faire la fête. L'odeur du poulet rôti sur la terrasse ; l'ivresse est si grande, la faim si intempestive qu'elle dépose dans son panier un poulet tout prêt, des patates luisantes de gras et d'épices, une baguette, un brie de Meaux entier, un steak énorme, des épinards frais, une bouteille de Castillo de Almansa une tarte aux pacanes.

À la caisse, Ingrid pense au salaire qu'elle met en péril si sa supercherie est découverte, et elle laisse son butin à terre, courant presque pour échapper à la tentation, la honte au ventre. Derrière elle, les cris de Constantino qui l'engueule résonnent dans toute la rue. Il lui faudra se trouver un autre endroit pour acheter ses fruits trop mûrs.

Elle pousse la porte de son immeuble, s'offrant le luxe de prendre son temps pour monter l'escalier sans redouter de croiser monsieur Germain, son propriétaire. Le premier du mois est dans une semaine, avec un peu de chance, Ingrid sera payée. Juste à temps pour éviter d'avoir à jouer au Sioux. Au deuxième, ça sent le chou rance et la viande carbonisée, et au dernier étage, la moiteur de l'été dans la cage d'escalier rend l'odeur insupportable. Ingrid referme la porte de son studio derrière elle, désespérément en manque d'un parfum de miel et d'orange. C'est tout petit chez elle. Une planète vétuste et étriquée. Mais les immenses fenêtres, les mêmes qui laissent entrer le vent glacial de février, offrent la plus belle vue qui soit sur les toits du Petit Portugal, le sourire de Leonard Cohen sur sa murale, fond d'écran qui justifie toutes les odeurs de chou rance.

Ingrid se grille deux toasts, beurre de pinottes, banane, qu'elle mange debout, le cul sur le carrelage du comptoir, le palais collé au mastic de sa pauvreté.

Puis, sur l'éclatante blancheur de l'immense feuille de papier qu'elle punaise à même le mur, elle retrouve le corps d'Amerigo Baylon, long et racé sous l'impulsion précise du crayon dur. À peine gras.

: :

Pendant les jours qui suivent, Ingrid est au service d'Amerigo. Elle va le chercher à son hôtel, le conduit jusqu'au bureau de production, l'escorte dans tous les studios de radio et tous les plateaux de télévision de la ville, fait nettoyer ses vêtements, lui achète du dentifrice, de l'aspirine, des cafés serrés, fait office de traductrice pour toutes ses entrevues, s'improvise photographe pour les mille et un fans qui croisent leur route, et joue au cerbère quand il lui fait signe qu'il veut partir.

Quand ils sont au bureau de production, il monopolise toute l'attention; il est charmant, difficile, exigeant, intempestif et volatil. Il veut changer l'horaire, changer les lieux de tournage, changer de réalisateur. Il y a des cris, des larmes, de la révolte et des injures. Mais il faut bien se rendre à l'évidence: partout où passe l'abrasif Andalou, les couleurs sont plus franches, la vie plus étincelante.

Quand ils sont seuls, Amerigo ne parle à Ingrid que pour l'essentiel: la nécessité d'arrêter à la tabagie pour acheter des Gitanes et des cigares Roméo et Juliette. Ils ont rarement le temps de manger, et quand ils le prennent, c'est toujours gras, et servi dans du carton. Ingrid a vite compris que l'homme aux Ray-Ban déteste ces restaurants où tout le monde cherche à l'épater, et où il se sent comme une pièce de viande à l'étalage. Il ne veut pas être épaté, il ne veut pas être tâté, il veut s'asseoir sur un banc au soleil et manger avec les doigts.

En silence.

Ingrid ne s'en formalise pas. Elle en profite pour l'étudier ; l'arête du nez, le cou puissant, la sensualité de ses mains quand il lance une boulette de papier gras dans une poubelle, en Don Quixote basketteur, ses épaules qui se voûtent quand il avale ses frites, vorace. *Il mange comme un voleur de banque qui a peur d'être arrêté.* Chaque geste est saisi au vol et dessiné le soir même, dans l'urgence de se souvenir de tout avant que la vie ne fasse son œuvre de grande fouteuse de merde sur la mémoire. Ingrid ouvre une orange pendant qu'elle dessine, puisant à même son parfum d'Andalousie quelques heures de travail en plus. Quand elle a vidé sa dernière bouteille d'encre, elle trempe son pinceau dans du café noir, très serré. Crayon dur, encre, café et orange, son mur se couvre des mille et une variations de chacun des mouvements d'Amerigo.

: :

Rien n'amuse plus Ingrid que le spectacle de Carole qui poursuit son *bad boy* espagnol dans l'espoir qu'il prenne l'appel de sa femme qui insiste, dix fois, vingt fois, cent fois par jour. Juchée sur ses Louboutin, Carole chancelle, tangue et se déhanche, poule frénétique chassant le mustang sauvage. L'Andalou caracole, rue, invente une nouvelle fuite, un besoin pressant de fumer, une urgence à régler. En désespoir de cause, Carole se tourne vers Ingrid, à la limite de la supplication. Le pouvoir a changé de camp.

— Il faut qu'il lui parle, elle est en train de nous rendre fous.

— Je peux essayer.

Il aurait suffi d'un merci, d'un sourire d'appréciation, pour qu'Ingrid trouve les bons mots. Mais Carole s'était raidie, son ego démesuré écrasant tout sur son passage, comme une overdose de cannelle dans une tarte aux pommes jusque-là respectable.

— Fais donc ça.

Fais donc ça. Por la puta que le parió.

— Amerigo?

Il tâte déjà la poche de sa chemise, en quête d'un Roméo et Juliette.

— *¿Sí?*

— *Cuéntame un momento emocionante de tu vida, incluso si tienes que inventarte algo. Ahora mismo[11].*

Tout de suite, a-t-elle dit, de l'urgence dans la voix. Il lui jette un regard intrigué, mais il obéit à sa demande et il se met à lui parler de plongée sous-marine, cette fois dans le Great Blue Hole au Bélize, ce turquoise qui prenait de la densité au fur et à mesure qu'ils descendaient, jusqu'au marine, jusqu'au noir, l'euphorie, presque la folie, et le ballet des requins quand son compagnon de plongée l'avait obligé à remonter. Lui, il serait resté au fond, *en el azul marino de mi vida[12].*

— Il fait dire que si tu lui parles encore une fois de sa femme, il ne fera pas l'émission.

À la simple idée que le Tout-Montréal puisse dire qu'elle a perdu Amerigo Baylon et qu'elle ne puisse pas se prévaloir du prestige de cette carte de visite royale, Carole blêmit.

— Mais qu'est-ce que je lui dis, à sa femme?

— Qu'il reprend l'avion dimanche et qu'elle pourra lui crier après tant qu'elle veut à Séville.

---

11. Raconte-moi un beau moment de ta vie, invente s'il le faut, mais raconte-moi quelque chose, tout de suite.

12. Dans le bleu marine de ma vie.

Le samedi à l'aube, il est là. Appuyé contre la pierre grise de l'hôtel, sage comme une image. À la vue de la voiture qui doit l'emmener au Ed's Kitchen, il tire une longue bouffée de son Roméo et Juliette, expire lentement et se résigne vers Ingrid. La portière de la voiture se referme sur un parfum de miel et d'orange, de gâteau d'après-midi qui s'émiette dans un thé qu'on éternise. Elle ne se lasse pas de son modèle vivant, tout détestable qu'il soit.

— ¿ Listo[13] ?

Il hausse une épaule.

— Claro[14].

Juste à sa façon de remonter ses Ray-Ban sur son nez, elle sait qu'il ment.

Toute la journée, dans le décor aux allures d'abattoir du Ed's Kitchen, elle le regarde faire semblant.

Semblant d'écouter, semblant de s'intéresser, semblant de s'extasier devant le tas de tripes luisantes déposées devant lui, semblant d'apprécier ce foie gras qui n'en peut plus d'étaler sa vulgarité, semblant de rire aux blagues salaces d'Édouard, qui, à l'image de sa cuisine psychopathe, surjoue dans l'étalage d'une virilité aussi ventripotente qu'envahissante.

Toute la journée, Ingrid regarde Carole s'abandonner aux joies de l'orgasme multiple chaque fois qu'elle échange un regard entendu avec son réalisateur devant une « shot » particulièrement juteuse, et que celui-ci, un jeune au teint aussi pâteux que sa personnalité, lève un pouce complice. Carole se pâme, Carole s'extasie, Carole respire enfin, Amerigo Baylon est dans son kodak, *Amerigo Baylon is in the can,* et pour toujours, son plus beau trophée de chasse.

_____

13. Prêt ?
14. Bien sûr.

Quand on n'a pas besoin d'elle pour traduire, Ingrid se met dans un coin, entre une console de son et un réflecteur de soie blanche, le cul sur une boîte de pommes, et elle dessine, au crayon de plomb, sur un petit carnet qu'elle cache dès qu'elle surprend le regard d'Amerigo posé sur elle.

Le tournage se termine sur un souper en tête-à-tête entre rebelles : celui de la terre andalouse et celui du terroir montréalais. Intimité factice entre «bros» de la gastronomie *thug* qui feignent d'ignorer les caméras, les accessoiristes qui s'engueulent avec le personnel de cuisine, la scripte qui s'arrache les cheveux, les lampes qui font couler le maquillage, les rails, la perche à moumoute grise qui épie le moindre raclement de gorge.

Dehors, dans la ruelle arrière du restaurant, Ingrid partage une cigarette avec le plongeur, un petit malingre au visage d'enfant.

— Tu veux que je te fasse une assiette? lui demande-t-il.

— Je n'ai pas faim.

— C'est gratis ce soir, à cause des kodaks, profite.

— Tu en profites, toi?

— À la fin de mon shift, check-moi ben aller. D'habitude, ils nous font payer quand on mange. Des fois, je m'arrange pour ne pas me faire voir. Comme ça je peux tenir sans faire d'épicerie, t'sais.

Je sais. Maudite faim à marde.

Et puis, Amerigo est devant elle, le regard vide.

Yo tengo bastante, vamos[15].

Il la prend par le coude et la pousse devant lui, pressé. Derrière, Carole crie. Ils se mettent à courir, sans se concerter, jusqu'à la voiture dans laquelle ils s'engouffrent en voleurs de banque. Bonnie and Clyde.

---

15. J'en ai assez, on s'en va.

— ¿*A dónde*[16]?

— ¿*Tienes hambre*?

Faim, elle? *Sí.*

Chez le Portugais, Ingrid marche derrière Amerigo dans les allées. Il avance vite, un requin en mission, il n'a pas un instant d'hésitation au moment de déposer les affaires dans le chariot : tac, tac, tac, des pâtes, du riz, du lait en conserve, de la vanille, de la vraie, une merveille, du curcuma, du piment d'Espelette, des œufs, du lait, du beurre, trois blocs, mais à quoi ça va servir tout ce beurre, elle n'a aucune idée, un sac de farine, des bouillons, une botte de poireaux, des poivrons rouges et lustrés, un poulet, des boîtes de thon, des confitures, et de l'huile d'olive, la pressée à froid de qualité, celle qu'elle n'achète jamais parce qu'elle est trop chère, trop bonne, et que si elle s'habitue, ce sera encore plus dur de s'en priver après ; il prend des fraises, du fenouil, du vin, du blanc, du rouge, et encore du rouge, elle ne s'oppose pas, elle le laisse faire. Il sait.

Ça déborde, de partout. Même une botte de persil n'y trouve-rait pas sa place. Ingrid prend du miel et un sac d'oranges, qu'elle garde contre sa poitrine, sans demander. Il s'en fout, il avance en direction des caisses. Constantino s'interpose, déjà prêt à engueu-ler Ingrid si elle largue encore un panier plein au milieu de l'allée avant de se pousser. La petite brune aux cheveux dans un filet qui tient la caisse pousse un cri :

— ¡*Ay!* ¡*Amerigo Bayyyyyyylon!*

Entre les sanglots d'émotion de la jeune caissière qui rencontre son idole et la confusion du pauvre Constantino qui n'a aucune idée de la notoriété du grand efflanqué qui lui tend une carte de crédit, ils mettent du temps à quitter les lieux.

Au moment d'enfin pousser la porte de son appartement, Ingrid est saisie de panique de honte. C'est sale, ça pue, et elle ne

---

16. Où?

sait pas si elle redoute plus son regard sur le crado de sa vie ou sur son travail des derniers jours qui ne représente que lui.

Il dépose les sacs à même le plancher. Un à un, il touche les dessins d'Ingrid, comme s'il lui fallait sentir le grain du papier, les gondolements de l'encre, le charbon du fusain, fasciné par cet autre qui est lui, mais vu par elle. Elle a intitulé certains d'entre eux, avec des fragments du poème de Borges : « *tu rica vida oscura* », « *mi soledad, mi oscuridad* », « *el hambre de mi corazón* ».

— ¿ *Qué es eso?* dit-il en désignant les derniers dessins.

— Café.

Il s'empare de la soucoupe où traînent encore les écorces d'orange, les hume et se tourne vers Ingrid. Elle baisse la tête, cramoisie d'avoir été vue si nue, décapée. Lorsqu'elle trouve le courage de relever les yeux, c'est lui qui détourne les siens. Il ouvre son frigo. Blanc, et vide. Une toile vierge, où tout est à inventer, un projet qui l'excite, enfin. Il se tourne vers Ingrid, et elle ne voit que l'arc de son sourcil qui se lève, une courbe parfaite. Au crayon dur.

— Combien ils te paient pour me conduire ?

— Tu parles français ? !

Hijo de puta[17].

— *No.*

— Pourquoi tu ne l'as pas dit ?

— Parce que j'aurais été obligé de parler.

Pour la première fois depuis qu'elle lui a tendu la main, il sourit. Pas une once de remords dans ce sourire fait pour toutes les exubérances.

— Combien ils te paient pour me conduire ?

— De quoi tenir deux mois.

17. Fils de pute.

Il sort une bouteille, le Castillo de Almansa, elle fouille la poche arrière de son jean et lui tend le limonadier volé à son amant d'une nuit.

— De quoi as-tu envie? lui demande-t-il, en retirant le bouchon qui fait pop.

De toi.

— D'un œuf.

::

Quelques semaines plus tard, Ingrid recevait un appel d'un inconnu, avocat chez Alfonso Suarez De Hoyo, un cabinet de Séville. Un client de ses clients qui souhaitait rester anonyme avait donné des instructions pour qu'on lui fasse parvenir un mandat, accompagné d'un message, qui disait simplement «voilà de quoi tenir deux ans».

Au même moment, une nouvelle faisait le tour du monde: Amerigo Baylon, le grand chef qui avait révolutionné la cuisine andalouse, était parti plonger sur les côtes de Gibraltar et il n'était jamais remonté à la surface.

No quiero ser identificado.

IAN MANOOK

Mez mama

— Bombe atomique, dit Zarza.

Giavelli ajuste ses jumelles et cadre la terrasse de la villa qu'ils surveillent. Une femme magnifique aux formes généreuses apporte un lourd plateau de nourriture vers une table dressée pour un festin.

— Anatomique tu veux dire !

— Je ne parle pas de la femme, je parle des keuftés.

— Des flics ? Où ça des flics ?

— Des keuftés, Giavelli, pas des keufs ! Le plat qu'elle porte, ce sont des keuftés. On appelle ça des Mitchov keuftés ou encore des bombes, mais quand j'étais gamin, on disait des bombes atomiques.

— Et tu mangeais ça, toi ?

— Et comment ! Mes cousins-cousines et moi nous en mangions par dizaines. Il faut dire que la tradition voulait que *mez mama* glisse des pièces de monnaie dedans. Tu parles que nous nous en gavions pour récupérer un peu d'argent de poche !

— *Mez mama* ?

— « Grand-mère » en arménien.

— Tu es arménien ?

— Giavelli, je m'appelle Zarzavadjian !

— Et alors ? Je m'appelle bien Giavelli et je suis né à Charleville-Mézières.

— D'accord je suis d'origine arménienne, comme toi tu es d'origine italienne, si tu veux. Tu aimes la cuisine italienne, non ?

— Je veux ! *Scaloppine all limone, carciofi alla giudea*, fèves au pecorino, *cuchatini cacio e peppe, coda alla vaccinara*...

— Ah ! tu vois, tu n'es même pas d'origine italienne, rien qu'à ce que tu aimes on sait que tu es d'origine romaine ! Ce qui tient un peuple, Giavelli, ou une culture, ou une diaspora, autant que la langue et l'histoire, c'est la bouffe !

— Je veux bien te croire, mais tes bombes, là, à part pour le fric, c'est vraiment bon ?

— Un régal. La prochaine fois que tu passes à la maison, je t'en fais.

— Tu sais cuisiner, toi ? C'est ta *mez mama* qui t'a appris ?

— Non, j'ai appris tout seul quand j'étais en Amazonie.

Giavelli baisse ses jumelles et regarde Zarza avec étonnement.

— En Amazonie ? Qu'est-ce que tu fichais en Amazonie ?

— Un stage de survie avec les commandos de l'armée brésilienne.

— Avec cours de cuisine orientale au programme de la cantine ?

— Non. Y'avait pas de cantine, et j'étais tout seul. C'est ça un stage de survie : on te dépose par hélico au cœur de n'importe où et tu dois rejoindre par tes propres moyens un point donné au milieu de nulle part. Avec pour tout paquetage un couteau et un briquet.

— Et c'est avec ça que tu as cuisiné tes bombes atomiques dans la jungle ?

— Je n'ai jamais dit que je les avais cuisinées. J'ai dit que j'avais *appris* à les cuisiner.

— Comprends pas la différence...

— C'est à cause de la faim. On croit que la forêt vierge grouille de bestioles, mais quand tu cherches à en attraper une pour ton dîner, c'est une autre histoire. Le premier jour, je n'ai piégé qu'une sorte de petit rongeur, mais le temps de le dépecer une nuée de fourmis ardentes l'a submergé et l'a emporté sous mes yeux. Le jour suivant je n'ai croqué qu'une grosse larve blanche et grillé deux pauvres mygales…

— Zarza, je vais gerber…

— De toute façon le troisième jour je n'ai rien trouvé, et c'est là que j'ai commencé à avoir faim. Et quand tu as faim, il faut que tu penses à ce que tu aimes manger. J'aurais pu penser à une bonne *feijoada* avec des bas morceaux de porcs longtemps mijotés avec petits haricots noirs détrempés pendant vingt-quatre heures, accompagnés d'un *molho* bien relevé et de farine de manioc blanche et d'une bière stupidement glacée ; ou à une *moqueca de peixe* dans son jus de légumes au lait de coco, ou à des *casquinha de siri* à la chair bien relevée avec juste une caïpirinha… mais va-t'en savoir pourquoi j'ai pensé à des bombes atomiques ce jour-là !

— L'atavisme, sans doute, se moque Giavelli le visage un peu pâle. Et tu as sorti ton livre de recettes au beau milieu de la jungle…

— Non. J'ai repensé très fort, toute la journée, dans la moiteur de cette jungle qui m'épuisait, au réconfort du goût savoureux des keuftés de ma grand-mère. Le souple croquant de la croûte. Le moelleux de la viande hachée persillée à l'intérieur. Le jus bouillant de viande et de blé dans ma bouche. J'avais tellement faim que j'ai commencé par me souvenir des gestes de ma grand-mère, puis par décomposer le goût de chaque bouchée pour reconnaître tous les ingrédients un à un et imaginer comment *mez mama* les associait… c'est comme ça que j'ai appris.

— Et ça t'a nourri ? Moi ça m'aurait plutôt creusé la dalle !

— Ça m'a mis l'eau à la bouche et c'était tant mieux. Quand tu salives, ton cerveau croit que tu manges et après un certain temps tu peux lui donner l'illusion que tu es rassasié. Tu sais ce qu'on t'apprend dans les commandos comme meilleur moyen pour tromper la faim ?

— À chasser ?

— À sucer des cailloux. Pour te faire saliver…

Giavelli regarde son équipier quelques instants, le temps de l'imaginer perdu dans une jungle grouillant de saloperies fuyantes à sucer des cailloux. Il ne saurait même pas dire si on en trouve, des cailloux, dans la jungle. Tout ne doit être qu'humus et pourriture là-bas. Alors il se reconcentre sur leur mission de surveillance et cadre à nouveau dans ses jumelles la jeune femme sur la terrasse.

— Eh bien, moi, je te garantis que c'est pas de sucer des cailloux qui me fait saliver en ce moment…

Zarza ne relève pas l'allusion et s'adosse au muret qui les protège de la vue des gardes de la villa.

— Le premier truc que j'ai compris, c'est qu'il y avait au moins deux viandes. Je me souviens, c'était au bivouac du quatrième jour. J'avais fait un feu de bois vert pour éloigner des myriades de moustiques. J'étais content d'avoir trouvé un arroyo d'eau un peu vive et j'avais taillé un harpon dans une longue branche. Il ne m'avait pas fallu dix minutes pour harponner une *pintada* d'au moins huit livres dont je me régalais déjà de la chair grillée juste arrosée de jus de citrons sauvages. Mais dès que je l'ai eu transpercée, son sang a attiré des centaines de piranhas qui l'ont nettoyée en quelques secondes dans un bouillonnement sanguinolent. Il n'est resté au bout de ma lance qu'une arête lisse et blanche. Alors, comme les poissons cannibales rendus hystériques par leur maigre festin restaient en surface de l'eau limoneuse, j'ai défait ma ceinture, je me suis entaillé légèrement l'épaule, j'ai passé le bout du cuir sur le sang qui perlait, et j'ai pêché des piranhas. Il suffisait de frôler la surface du *rio* et de retirer aussitôt la ceinture pour en sortir à chaque fois quatre ou cinq accrochés au cuir par leurs dents voraces. Ces bestioles dépensent plus d'énergie à chasser et dévorer leurs proies que celles-ci ne leur en apportent. Des petites frappes sèches et nerveuses avec très peu de chair. Pas comme leur gros cousin le pacu. Ça, c'est un régal ! Mais ce jour-là il m'a fallu une trentaine de poissons-cannibales pour me griller à peine le quart d'une ration de survie. Alors pendant l'interminable veillée dans la nuit tropicale, agitée des glissements, des craquements, des froissements, des bruissements, des cris, des feulements de tout ce que je n'avais pas réussi à chasser dans la journée, j'ai repensé aux bombes atomiques et j'ai compris. Dans la chair des piranhas, on devinait encore le goût de la *pintada* dont ils venaient de se rassasier, et je me suis souvenu du goût de viande des keuftés. Ce n'était pas une saveur unique. Cette soudaine certitude m'a électrisé au point de me tenir éveillé une bonne partie de la nuit. Le goût de la viande juteuse et persillée au cœur, c'était de l'agneau haché. Ça, c'était sûr. Mais autour, c'était autre chose de plus sec. Un autre goût. C'était du bœuf! Tu ne peux pas savoir comment cette découverte m'a permis de tenir les jours suivants.

— Et comment tu fais pour avoir une viande autour et une autre au milieu? À part les paupiettes, je ne vois pas…

— J'ai compris ça le lendemain quand je suis tombé sur un nid de toucans. Ce sont des cavernicoles qui nichent au creux des troncs. J'ai repéré le nid en apercevant un *sucuri* qui glissait vers le trou. J'ai hésité, mais le boa était trop petit pour me faire un vrai repas. Par contre, je me suis douté de ce qu'il avait repéré. Alors j'ai chopé le serpent et je l'ai balancé le plus loin possible, et j'ai prudemment exploré la cavité. Et là, je tombe sur trois beaux œufs de toucan. Au début, je voulais les gober. Tu sais, comme on faisait avant: un trou à chaque extrémité et on aspire le tout. Mais à part les grosses chenilles blanches qui ne sont que de la graisse, mieux vaut éviter les crudités dans la jungle. Te vider en chiant tous les dix mètres, ça ne t'aide pas vraiment à sortir de l'enfer. Alors j'ai décidé de les cuire.

— Ah ouais? Et comment tu cuis des œufs dans la jungle sans poêle et sans casserole?

— Tu fais un feu pour avoir de la braise, puis tu creuses un trou. Tu fais une belle boue épaisse avec de la terre et de l'eau et tu enrobes tes œufs avec. Puis tu verses un peu de braise dans le trou, tu mets tes œufs dessus, tu recouvres avec le reste de la braise, et tu rebouches le trou avec de la terre. Dix minutes après, tu as tes œufs durs…

— Whaouu ! Et c'était bon ?

— Je ne sais pas, j'ai foiré ce jour-là parce qu'en malaxant la boue j'ai compris comment *mez mama* faisait la coquille des bombes. C'est comme pour la boue, elle devait mélanger la viande de bœuf avec quelque chose qui durcissait au feu, et en repensant au goût dans ma bouche, je me suis dit que c'était du boulgour, du blé cassé. Avec peut-être un petit quelque chose en plus, comme de la semoule. La coque des bombes, c'est de la viande de bœuf doublement hachée mélangée à du blé cassé et à de la semoule et mouillée à l'eau glacée.

— Glacée ! Comment tu as deviné ça ?

— Ça, je ne l'ai pas deviné, je m'en suis souvenu. J'ai revu dans ma tête le geste de ma grand-mère qui mouillait ses mains dans un bol d'eau rafraîchie de glaçons. Après j'ai compris que c'était pour éviter que la préparation ne colle aux mains.

— Et tes œufs ?

— Pas assez cuits, quand j'ai cassé la gangue de terre, tout a coulé entre mes mains et c'était immangeable. Alors j'ai retrouvé le petit boa et je m'en suis contenté…

Giavelli reprend les jumelles. Sur la terrasse, la femme a posé le plat de keuftés sur une desserte loin de la table. De toute évidence, elle attend les convives.

— Elle m'a l'air un peu nerveuse notre belle bombe anatomique…

— Tu sais à qui appartient cette villa ?

— Narcotrafiquant ? Politicien ripou ? Industriel véreux…

— Marchand d'armes.

— Ah oui, quand même. Et elle aurait des raisons d'être nerveuse ?

— Je n'en sais rien. Apparemment le Service a une taupe à l'intérieur et l'atmosphère serait un peu tendue.

— Une taupe ? Tu crois que c'est elle notre agent infiltré ? Si c'est le cas, je te préviens que je suis volontaire pour l'exfiltrer !

— Mission d'observation, Giavelli. Aucune intervention, quoi qu'il arrive !

Ils observent à nouveau la terrasse en silence quelques instants, avant que Zarza ne reprenne ses divagations culinaires.

— Ce jour-là, j'ai foiré les œufs parce que la croûte de terre était trop épaisse, alors j'ai repensé à *mez mama* et j'ai passé la moitié de la journée à faire des boulettes de boue que j'ai façonnées dans ma main. La main gauche en coquille, la terre au creux de ma paume, mon pouce droit enfoncé dedans pour petit à petit en faire une demi-sphère évidée. Je te jure que j'ai essayé des dizaines de fois jusqu'à avoir une belle petite coupelle de terre bien fine dans ma main. Alors je l'ai remplie de mousse, et patiemment, en la roulant dans ma main droite, puis entre mes deux mains pour la refermer, j'ai réussi à faire un keufté de terre. À l'extérieur, un mélange de bœuf haché, de blé cassé et de semoule prêt à durcir un peu, et de l'épaule d'agneau haché et persillé prête à cuire dans son jus à l'intérieur de la croûte. Voilà comment on fait une bombe atomique.

— Eh bien, ça devrait intéresser ton marchand de canons. Il vient d'arriver.

Dans les jumelles, Zarza aperçoit un homme oriental à la démarche suffisante sortir de la villa et se diriger droit vers son couvert en bout de table. Deux hommes plus jeunes l'accompagnent dans lesquels Zarza devine le fils du patron et un garde du corps. Et à la façon dont le fils compense la muflerie de son père en invitant le quatrième homme à s'asseoir, Zarza comprend que ce dernier est un client. Il déplace ses jumelles pour revenir sur la femme qui attend près de la desserte pendant que le fils sert de généreuses rasades d'arak.

— Je connais, commente Giavelli, c'est de l'ouzo.

— Non, dit Zarza, c'est du raki !

Puis sans répondre au regard interrogateur de Giavelli, Zarza observe la femme à nouveau.

— Elle en a trop fait…, murmure Zarza.

— Tu plaisantes, elle est effacée et discrète comme une bonne de curé !

— Je parle des keuftés. Elle en a trop préparé…

— Ils ont peut-être très faim.

— Tu sais, la croûte des bombes atomiques doit être solide mais souple. En fait, le blé cassé et la semoule sont plus là pour former une enveloppe étanche qu'une coque solide. Leur utilité, c'est de garder l'agneau juteux à l'intérieur. Il doit fondre brûlant dans ta bouche à la première bouchée.

— C'est vraiment si bon que ça ?

— Tu ne peux pas imaginer. Pendant mon bivouac là-bas, j'ai décomposé chaque saveur. Avec le bœuf, il y a du sel, du poivre, du basilic et de l'oignon. Jaune, l'oignon. Avec l'agneau, il y a de l'oignon, de l'ail, du persil, mais plat, surtout plat, du basilic, du piment d'Alep, et du bahar.

— C'est quoi ce bazar ?

— C'est un peu comme le ras-el-hanout magrébin. Ça veut dire « épice » en arabe, mais en fait c'est un mélange de poivre, de cannelle, de noix muscade, de girofle et de cardamome. C'est la cardamome qui fait toute la différence.

— Tout ça à l'intérieur ?

— Oui, mais si l'extérieur se fend, que le jus gras de l'agneau se disperse et que la viande se refroidit trop vite, tu perds toute la magie du truc. C'est une composition très fragile.

— De loin, ça m'a l'air assez solide. Plus grenade à l'ancienne que bombe nucléaire, je te l'accorde, mais solide quand même.

— Tu es loin du compte. Tu sais, je me suis longtemps posé la question de la cuisson. Il faut tellement que tout soit cuit tout autour à la même température ! Ça aurait pu être frit, mais je n'avais aucun souvenir de gras d'huile. Alors j'ai pensé au four, parce que j'avais l'image de *mez mama* tirant de la gazinière des plateaux de bombes atomiques bien dorées, mais j'ai vite compris que l'extérieur durcirait trop vite pour que l'intérieur soit cuit et juteux à point. Et puis un jour, quand j'ai réussi à rejoindre le campement des commandos brésiliens et qu'en récompense quelqu'un a jeté deux saucisses industrielles dans une casserole d'eau pour me faire un hot dog, j'ai compris que c'était la seule solution. Faire bouillir à petit feu les bombes dans un bouillon. Un bouillon à l'oignon et à l'ail, salé-poivré juste comme il faut, et enrichi d'un ou deux bons gros os à moelle. Une bonne demi-heure, délicatement, à l'eau frémissante pour ne pas faire éclater les coques justement. Et ensuite, ensuite seulement, un quart d'heure avant de les servir, un passage au four pour les dorer, juste pour la décoration, pour le plaisir des yeux. Voilà comment on fait des bombes atomiques qui restent moelleuses et bien juteuses. Mais là, elle en a fait trop…

Giavelli se concentre à nouveau sur le plateau de keuftés. Une généreuse pyramide de bombes atomiques.

— Écoute, ils sont quatre gars bien costauds et à raison de six ou sept par personne, ils devraient pouvoir en venir à bout !

— Oui, répond Zarza soudain soucieux, mais les keuftés d'en dessous doivent être complètement éclatés !

D'un signe hautain de la main, l'homme en bout de table ordonne soudain à la femme d'apporter le plat.

— Sa femme tu crois ? interroge Giavelli

Zarza ne répond pas. Il regarde cette dernière prendre le lourd plateau à deux mains et se diriger vers la table.

— Femme ou servante, comment peut-on se montrer aussi méprisant ? s'indigne Giavelli.

Zarza suit des yeux la femme. Elle a d'abord répondu à l'ordre du marchand d'armes en baissant aussitôt la tête, comme soumise, mais à mi-chemin, elle se redresse, se cambre, et marche droit vers la table d'un pas décidé comme une actrice qui entre en scène. Dans ses yeux, Zarza repère aussitôt cette lueur de fierté qu'il connaît trop bien.

— Merde…, lâche-t-il sans pouvoir quitter des yeux la femme magnifique qu'à part le marchand d'armes, les autres hommes lorgnent avec une arrogante concupiscence.

Elle pose le plateau au milieu de la table, face au marchand d'armes qui n'a pas un seul regard pour elle, et se retire aussitôt d'un pas encore plus fier. Zarza saisit aussitôt Giavelli par les épaules, le jette à terre à l'abri du muret, et se couche sur lui.

— Qu'est-ce que…

Zarza lui fait signe de se taire et d'attendre, et cinq secondes plus tard l'explosion déchiquette les quatre hommes autour de la table et ravage la terrasse et toute la façade de la villa. Des éclats de pierre et des clous cisaillent les feuillages au-dessus du muret dans une curieuse odeur de poudre et de fumet d'agneau à la cardamome.

— Putain! lâche Giavelli encore sonné par la déflagration. Comment tu as deviné?

— De si belles bombes atomiques, personne n'aurait osé les empiler de cette façon pour les servir…

Ils se relèvent doucement et chacun vérifie qu'il n'est pas blessé. Sur la joue de Zarza, Giavelli remarque un petit éclat qu'il prend délicatement entre le pouce et l'index. Il l'observe. Le porte à sa bouche. Le goûte…

— Dans tes bombes atomiques, là, tu es sûr de ne pas avoir oublié quelque chose?

— Non, quoi?

— Pignons de pins…

— Y'en a, c'est vrai!

— Revenus au beurre avec… hum… du vermicelle?

— Exact!

— Zarza, tu m'invites quand tu veux!

CES ALLÉCHANTES NOUVELLES
ONT INSPIRÉ DES RECETTES
À CHRYSTINE...

Vin d'orange

Voici la recette du vin d'orange que j'ai souvent dégusté chez mon amie Michèle. Un nectar délicieux... dont je confesse avoir parfois abusé. Son seul défaut : il requiert 40 jours de patience.

750 ml (3 tasses) de vin rosé (ou blanc)

125 ml (½ tasse) d'alcool à 90°

140 g (⅔ de tasse) de sucre, soit l'équivalent de 20 cubes

Les écorces de 3 ou 4 oranges non traitées et préalablement séchées au four

1 bâton de cannelle

Déposer tous les ingrédients dans un bocal d'au moins 3 l, mélanger puis fermer le couvercle hermétiquement. Laisser macérer pendant 40 jours.

À une ou deux reprises pendant la période de macération, remuer le mélange à la cuillère afin de dissoudre le sucre qui s'est déposé au fond du bocal.

Au bout des 40 jours, passer le mélange dans un filtre à café et mettre en bouteille.

Servir très frais ou à température ambiante, au choix.

Donne environ 1 l de vin d'orange.

Cuisses de grenouille en feuilles de brick

Patrice Godin l'ignore, mais j'adore les cuisses de grenouille. Cependant, contrairement à cette Bête qui les dévore crues dans sa nouvelle, je les cuisine avec de l'ail et du persil.

500 ml (2 tasses) de bouillon de poulet
6 à 8 cuisses de grenouille surgelées, décongelées
30 ml (2 c. à soupe) de beurre
2 gousses d'ail hachées
125 ml (½ tasse) de persil frais haché (ou de coriandre fraîche hachée)
2 feuilles de brick

Préchauffer le four à 180 °C (350 °F).

Dans une casserole, faire chauffer le bouillon de poulet et y faire cuire les cuisses de grenouille pendant 10 minutes ou jusqu'à ce que la chair se détache facilement de l'os. Retirer les cuisses de la casserole, les laisser tiédir puis en prélever la chair.

Dans une poêle, faire fondre le beurre à feu moyen. Y faire rissoler l'ail, puis la chair des cuisses pendant quelques minutes. Retirer du feu. Ajouter le persil et bien mélanger.

Étendre la moitié de la préparation au centre d'une feuille de brick, préalablement badigeonnée de beurre. Replier tour à tour les 4 côtés de la feuille pour y enfermer la garniture. Déposer la pâte farcie, côté plié en dessous, sur une plaque à pâtisserie recouverte de papier sulfurisé ou de papier d'aluminium beurré. Badigeonner d'un peu de beurre ou d'huile. Répéter l'opération avec le reste de la préparation.

Faire cuire au four jusqu'à ce que la pâte soit dorée.

Servir comme entrées.

Donne 2 portions.

Mousse de foie de volaille

Lorsque j'ai lu la nouvelle d'Annie L'Italien, je me suis rappelé la première fois que j'ai dégusté une mousse de foie maison, ayant immédiatement été séduite par son onctuosité. Le secret: une généreuse quantité de beurre. Mais quand on aime, on ne compte pas!

250 g (½ lb) de foies de volaille parés
½ oignon haché grossièrement
30 ml (2 c. à soupe) de pistaches écrasées
Porto
150 g (⅔ de tasse) de beurre demi-sel ramolli
5 ml (1 c. à thé) de brandy (ou d'armagnac)
Sel et poivre

Préchauffer le four à 180 °C (350 °F).

Dans un plat creux allant au four, déposer les foies de volaille, l'oignon et les pistaches. Couvrir de porto. Sceller le plat avec du papier d'aluminium. Faire cuire au four pendant 25 minutes.

Filtrer la préparation au chinois au-dessus d'un grand bol. Passer au robot culinaire le contenu de la passoire mélangé à un peu de jus de cuisson réservé. Y incorporer le beurre et le brandy, puis broyer de nouveau. Si la mousse est trop épaisse, rajouter du jus de cuisson.

Verser la préparation dans des ramequins, puis couvrir de pellicule plastique. Réfrigérer pendant quelques heures avant de servir.

Peut se congeler.

Bombes atomiques
(ou keuftés à la mode arménienne)

Comment peut-on faire monter l'adrénaline d'un lecteur tout en le faisant saliver? Ian Manook y parvient à tous coups, y compris dans cette nouvelle où les boulettes de viande explosent... de saveur! Après avoir noté tous les ingrédients évoqués par les personnages, j'ai tenté d'en recréer la recette.

225 g (½ lb) d'agneau haché

1 oignon haché

30 ml (2 c. à soupe) de basilic frais haché

4 gousses d'ail hachées

340 g (¾ lb) de bœuf haché

3 ml (½ c. à thé) d'un mélange d'épices moulues combinant la cardamome, la cannelle, la muscade, le girofle et le piment (augmenter la dose pour un goût plus relevé)

250 ml (1 tasse) de semoule de blé intermédiaire non cuite

500 ml (2 tasses) de bouillon de bœuf (préférer le bouillon maison, préparé à partir d'os à moelle et d'herbes, qui pourra être réutilisé dans une soupe)

Dans un bol, combiner l'agneau, la moitié de l'oignon, la moitié du basilic, 2 gousses d'ail et le mélange d'épices. Former des boulettes de la taille d'une grosse bille.

Dans le même bol, combiner le bœuf avec ce qu'il reste de l'oignon, du basilic et de l'ail. Enrober de ce mélange chacune des boulettes d'agneau préalablement façonnées (les boulettes auront la taille d'une balle de golf), puis les rouler dans la semoule.

Dans une casserole, faire frémir le bouillon de bœuf. Y faire cuire les boulettes pendant environ 15 minutes.

Servir immédiatement ou enfourner à la plus basse température pour garder au chaud jusqu'au moment de servir.

REMARQUE

Accompagner les keuftés d'un *raita,* qu'on obtient en mélangeant 250 ml (1 tasse) de yogourt nature, 250 ml (1 tasse) de concombre râpé, de l'ail, du sel et du poivre.

Prévoir, bien sûr, de l'harissa pour les convives qui aiment les plats relevés.

Charlotte aux pêches blanches

Comme il est question de pêches dans les nouvelles de Michel Marc Bouchard, Rafaële Germain et Geneviève Lefebvre, que j'ai lues à la fin de l'été, j'ai eu envie de mettre en valeur la reine des pêches : la blanche à la chair si parfumée.

2 pêches blanches
500 ml (2 tasses) d'eau
250 ml (1 tasse) de sucre
250 ml (1 tasse) de vin rosé
15 ml (1 c. à soupe) d'estragon frais
30 ml (2 c. à soupe) de liqueur de pêche
15 ml + 500 ml (1 c. à soupe + 2 tasses) de crème à 35 % m.g.
5 ml (1 c. à thé) de jus de citron
5 feuilles de gélatine
15 doigts de dame

Faire blanchir les pêches dans une casserole d'eau bouillante pendant 2 minutes. Les retirer de l'eau les laisser tiédir avant de les peler, les couper en deux et les dénoyauter. Réserver.

Dans une casserole, amener à ébullition l'eau, le sucre, le vin et l'estragon. Brasser jusqu'à dissolution complète du sucre. Faire cuire les pêches dans ce sirop pendant 15 minutes ou jusqu'à ce qu'elles soient tendres, mais encore un peu fermes. Les retirer de la casserole. Laisser le sirop refroidir hors du feu avant d'y ajouter la liqueur de pêche.

Broyer les pêches au robot culinaire. Y incorporer les 15 ml (1 c. à soupe) de crème et le jus de citron.

Faire ramollir les feuilles de gélatine dans un bol d'eau froide.

Fouetter le reste de la crème dans un bol jusqu'à l'obtention de pics fermes. Faire dissoudre les feuilles de gélatine ramollies dans le mélange de pêches. Ajouter à la crème fouettée et brasser jusqu'à homogénéité.

MONTAGE

Disposer un peu de préparation aux pêches dans le fond d'un moule à charlotte afin d'empêcher les biscuits de glisser au moment de l'assemblage.

Tremper les doigts de dame quelques secondes dans le sirop aromatisé, puis les déposer debout, tout autour du moule. Verser le reste de la préparation aux pêches.

Réfrigérer pendant au moins 6 heures avant de servir.

VARIANTE AUX FRAMBOISES

> 125 ml (½ tasse) d'eau
>
> 125 ml + 180 ml (½ tasse + ¾ de tasse) de sucre
>
> 15 ml (1 c. à soupe) de liqueur de framboise (ou de fraise)
>
> 500 ml (2 tasses) de framboises surgelées
>
> 5 feuilles de gélatine
>
> 500 ml (2 tasses) de crème à 35 % m.g.

Dans une casserole, amener à ébullition l'eau, les 125 ml (½ tasse) de sucre et la liqueur de framboise. Brasser jusqu'à dissolution complète du sucre. Laisser refroidir.

Faire ramollir les feuilles de gélatine dans un bol d'eau froide.

Faire cuire les framboises mélangées avec le reste du sucre dans le four à micro-ondes pendant 1 minute. Écraser les framboises à la fourchette et y faire dissoudre les feuilles de gélatine ramollies. Laisser tiédir.

Fouetter la crème dans un bol jusqu'à l'obtention de pics fermes. Y ajouter le mélange de framboises.

Procéder au montage tel qu'il est décrit dans la recette ci-dessus.

Dessert aux pommes

En lisant la nouvelle de François Lévesque, j'ai revu ma grand-mère Eva en train d'expliquer à ma mère, sa bru, comment préparer sa fameuse pâte à tarte. J'ai la recette, mais je n'ai jamais obtenu une pâte aussi aérienne que celle de mon aïeule. Alors, voici un dessert aux pommes qui se concocte sans rouleau à pâte.

30 ml (2 c. à soupe) de noix hachées (pacanes, pistaches, amandes)

15 ml (1 c. à soupe) de miel

30 ml (2 c. à soupe) de beurre ramolli

2 feuilles de pâte filo

1 pomme pelée et coupée en dés

1 ml (¼ c. à thé) de cannelle moulue

Préchauffer le four à 180 °C (350 °F).

Dans un bol, combiner les noix, le miel et le beurre. Étaler une fine couche de ce mélange au centre de chaque feuille de pâte filo, préalablement badigeonnée de beurre, puis y déposer les pommes en parts égales. Couvrir du reste du mélange de noix. Rouler la pâte sur elle-même, puis en tordre les extrémités de manière à former un gros bonbon et déposer sur une plaque à pâtisserie recouverte de papier sulfurisé.

Faire cuire au four pendant 10 à 15 minutes ou jusqu'à ce que la pâte soit dorée.

Donne 2 portions.

VARIANTE

Couper les feuilles de pâte filo en bandes de la largeur d'un ramequin, puis disposer les bandes, en les croisant, dans ce ramequin préalablement beurré. Y ajouter le mélange de noix et les pommes. Replier les bandes de pâte sur elles-mêmes. Enfourner.

Galettes de tante Yolande

Comme il est question de confitures dans plus d'une nouvelle et de déjeuner dans le texte de Samuel Larochelle – où trônent du fromage en grains et des bleuets de la région de son personnage –, j'ai pensé fournir la recette de galettes de tante Yolande. Elles ont le goût de mon enfance. Lorsque je traversais la cour pour aller jouer avec Marie-Josée, Anne ou Jean-François, ces galettes, qui rappellent les scones, embaumaient. Elles sont faciles à réaliser et se conservent très bien au réfrigérateur ou au congélateur... si vous arrivez à ne pas toutes les manger d'un coup !

1 l (4 tasses) de farine
5 ml (1 c. à thé) de sel
3 ml (½ c. à thé) de bicarbonate de soude
20 ml (4 c. à thé) de poudre à pâte
250 ml (1 tasse) de crème sure
250 ml (1 tasse) de lait

Préchauffer le four à 180 °C (350 °F).

Dans un grand bol, combiner les ingrédients secs et faire un puits au centre. Y verser la crème sure et le lait, puis mélanger jusqu'à homogénéité.

Sur un plan de travail fariné, abaisser la pâte jusqu'à une épaisseur d'environ 2,5 cm (1 po), puis y découper des rectangles de 2,5 cm sur 5 cm (1 po sur 2 po).

Déposer les galettes sur une plaque à pâtisserie recouverte de papier sulfurisé. Faire cuire au four pendant 30 minutes ou jusqu'à ce qu'elles soient légèrement dorées.

Servir chaudes, à leur sortie du four, ou encore les trancher en deux, les passer au grille-pain et les accompagner d'un peu de beurre et de confiture.

REMERCIEMENTS

Un énorme merci
à tous les auteurs complices de cette tablée qui célèbre les mots et les goûts avec une telle diversité,
à Anne-Marie Villeneuve qui a accepté avec autant d'enthousiasme que d'appétit d'éditer ces nouvelles gourmandes
et à Elisanne qui veille à la bonne forme du recueil au sein de cette magnifique équipe des Éditions Druide.